O curioso destino de Rita Quebra-Cama
e outros contos

Ricardo Ishmael

O curioso destino de Rita Quebra-Cama
e outros contos

pinturas e desenhos
Juraci Dórea

2ª edição

solisluna
editora

O curioso destino de Rita Quebra-Cama
copyright © 2017 Ricardo Ishmael
copyright pinturas e desenhos © 2017 Juraci Dórea

EDIÇÃO
Enéas Guerra
Valéria Pergentino

PROJETO GRÁFICO E DESIGN
Valéria Pergentino
Elaine Quirelli

CAPA
Enéas Guerra

PINTURAS E DESENHOS
Juraci Dórea

REVISÃO DO TEXTO
Mariana Paiva
Cazzo Fontoura
Adriana Telles

Dados Internacionais de Catalogação na Publicação (CIP)
Vagner Rodolfo CRB-8/9410

I79c   Ishmael, Ricardo
       O curioso destino de Rita Quebra-Cama e outros contos / Ricardo Ishmael ; ilustrado por Juraci Dórea. - Lauro de Freitas - BA : Solisluna, 2017.
       144 p. : il. ; 15cm x 21cm.

       ISBN: 978-85-89059-90-9

       1. Literatura brasileira. 2. Contos. 3. Literatura do sertão. 4. Literatura baiana. I. Dórea, Juraci. II. Título.

                                                 CDD 869.8992301
2017-101   CDU 821.134.3(81)-34

           Índices para catálogo sistemático:
           1. Literatura brasileira : Contos 869.8992301
           2. Literatura brasileira : Contos 821.134.3(81)-34

Todos os direitos desta edição reservados à Solisluna Design Editora Ltda.
55 71 3379.6691   www.solisluna.com.br   editora@solisluna.com.br

*Aos meus antepassados, que prepararam o caminho.
A José Robson Annan Damasceno Oliveira, meu irmão. Nos braços da eternidade, vela pelos seus.*

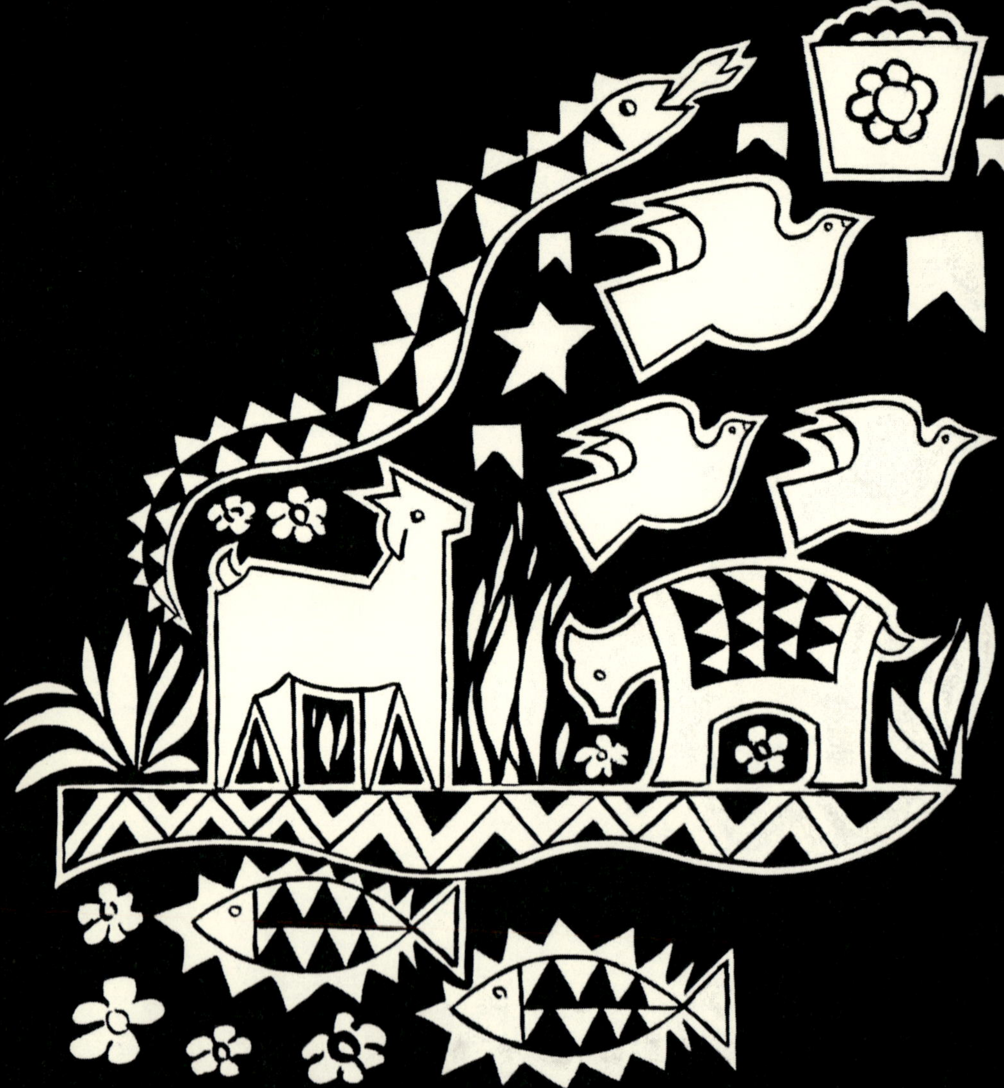

Sumário

Prefácio 9

O último rebuliço 13

Beato Conceição 27

O escândalo das irmãs Santana 37

A pessoa é para o que nasce 51

O curioso destino de Rita Quebra-Cama 73

O encantador de pássaros 99

O mistério da Santa 123

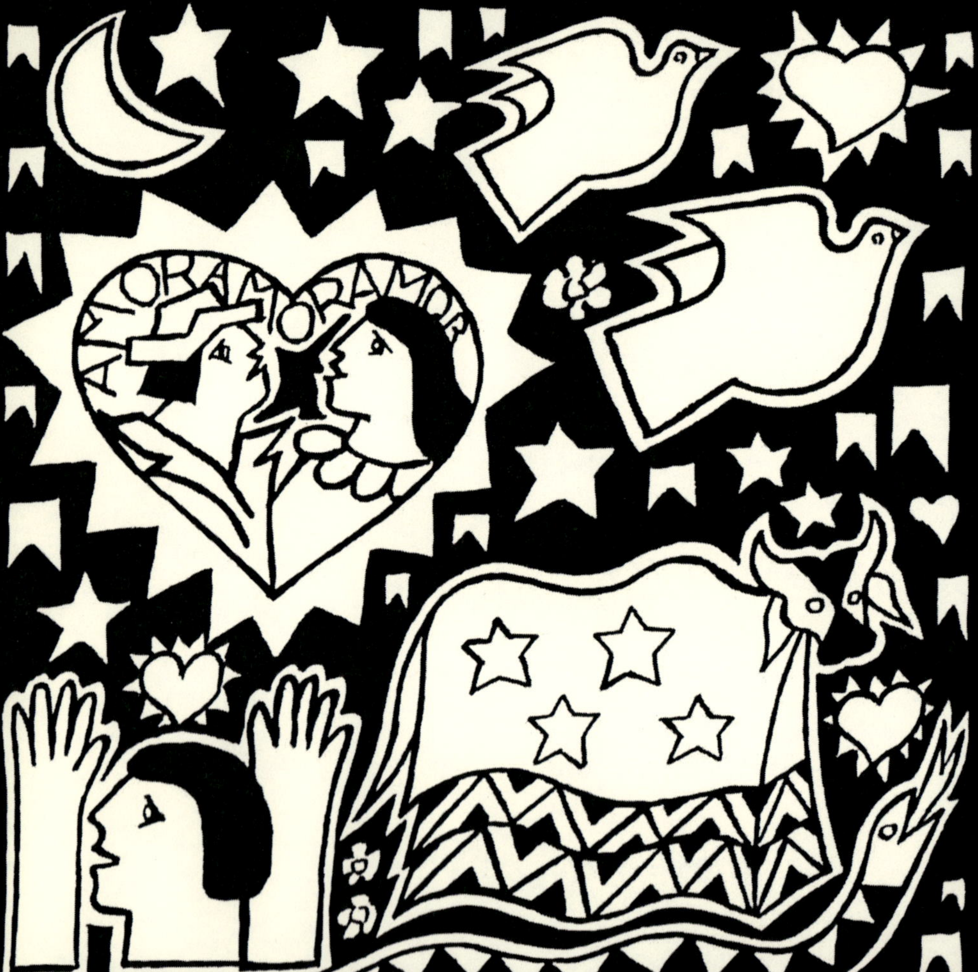
AMORAMORAMOR

Nasce, no primeiro livro, um homem que sabe como ninguém contar histórias. De ontem e de hoje, porque elas se cruzam no tempo. Têm um realismo que contagia. Como jornalista, Ricardo Ishmael conta todos os dias na TV como é o cotidiano das pessoas em toda a sua dimensão, apresenta fatos, traz informações de observações da vida como ela é. Dura, na maioria das vezes, mas que carrega também a vontade de lutar, de reagir e de vencer. Como diz Dona Maria de Santa Fé em "O último rebuliço", primeiro conto de O curioso destino de Rita Quebra-Cama, a luta ou a vida é para os fortes, uma missão para quem tem coragem. E ela teve coragem para enfrentar a disputa pelas terras, tão comum dos índios aos dias atuais, tudo sempre com um preço. Como acontece em "A pessoa é para o que nasce". E mais. O desprezo a uma profecia, a incompreensão e o desapego às terras e à família acabam, muitas vezes, em tragédia. Porque é isso que pode ocorrer, com o desrespeito e a falta de entendimento sobre as origens e sobre a opinião e o desejo de cada um. Veja se não é isso que enfrenta Sebastião, na defesa daquilo que ele construiu no Vaza Barris. Na defesa da honra e da dignidade.

O jornalista Ricardo Ishmael dá espaço ao escritor e, sem abandonar a realidade, avança então na sua imaginação provocadora. Sempre com a luta, com o sofrimento, com a fé que move a todos e vai além de Deus. Ou até a negação a Deus no conto "O mistério da Santa". Porque na crença popular, a besta sequestradora de crianças havia se escondido debaixo da estátua da Santa, no Alto do Cruzeiro. Vale tudo nessa corrida pela sobrevivência, quando a vida está em jogo. Até achar que a besta existe e que até aquilo que é sagrado perde a serventia. Lá estava mais uma vez a mão do homem. Há os que lutam pela honra, pela dignidade. Outros que fazem de tudo para levar vantagem. Como hoje.

Gostoso também é ver que em "O curioso destino de Rita Quebra-Cama" o fascinante da vida é acreditar. Porque são muitas as certezas e outras tantas incertezas que nos rondam no dia a dia. É o que se vê no conto que dá título ao livro. A personagem tinha um sonho, não acreditou nas profecias da vidente e o sonho acabou desfeito.

Falei no início do jornalista e seu papel e me debrucei sobre O curioso destino de Rita Quebra-Cama narrado por um agora também escritor. Com uma linguagem simples, rica e estimulante, Ricardo nos inspira a encarar a vida como ela se apresenta. E cada um do seu jeito.

Roberto Appel
Jornalista e diretor de jornalismo
da Rede Bahia de Televisão

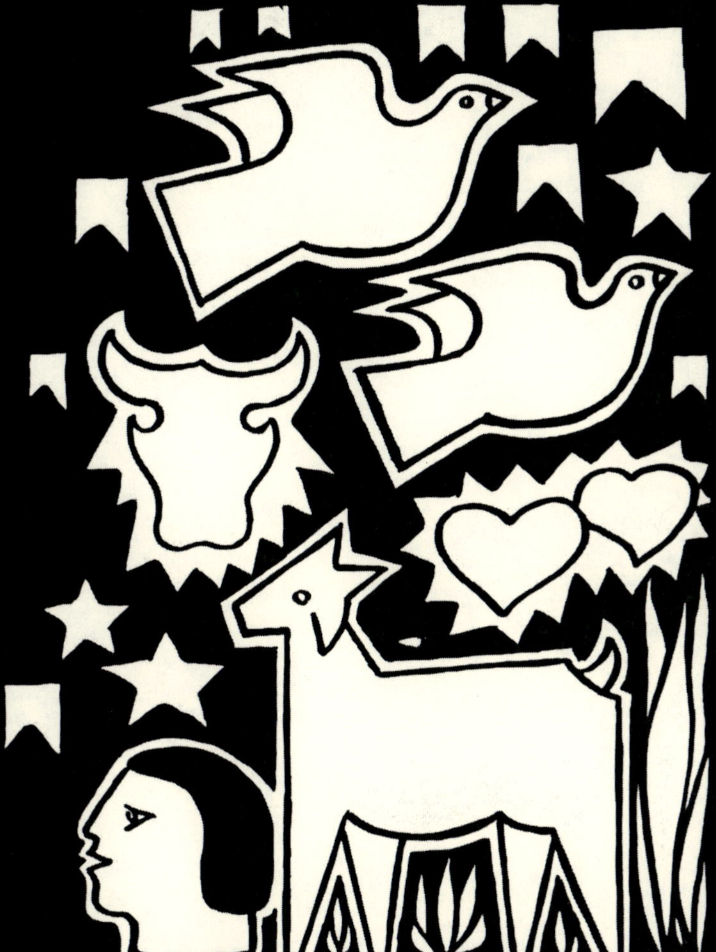

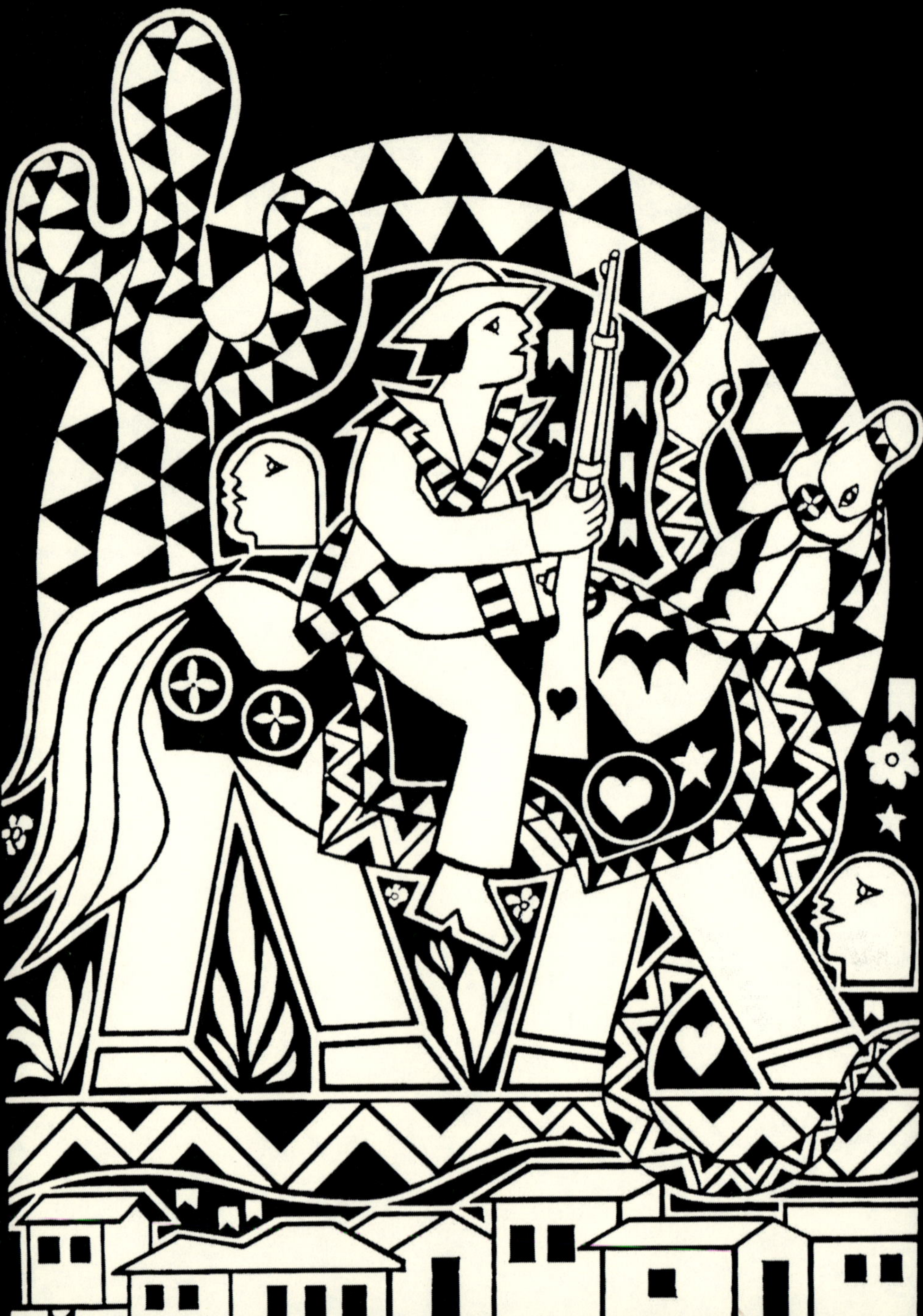

O último rebuliço

Horas após o fim do cerco à Fazenda Santa Anastácia, quando o sol começava a se pôr ao longe, por detrás da Serra do Boqueirão, o cheiro de pólvora continuava ativo. Parecia impregnado no ar, misturado ao odor que subia dos corpos no terreiro. Sobre eles e por toda parte, uma nuvem escura de moscas, varejeiras de olhos verdes, lambendo as feridas dos cadáveres. Daquelas asas miúdas partia um ruído monótono, o único som que agora se escutava por ali. Desapareceram o alarido dos pássaros ao cair da tarde e o bailar do vento morno entre as folhas do canavial. Sequer se ouvia o mugido do gado rumando de volta ao curral ou o sussurrar do Rio das Cobras cortando aquele distante pedaço de sertão.

Sete corpos estavam espalhados pelo chão, em diferentes pontos. Em frente à sede da Santa Anastácia jaziam o capataz João Sem Braço, baleado na testa, e seus imediatos João de Tonga, Gizé, Flavão, Beduíno, Adonias e Malaquias, vulgo Surdo-Mudo. Nas laterais, caídos nos varandões, outros seis homens, alguns dos cabras contratados para reforçar a segurança da fazenda naqueles dias que antecediam o aniversário de Dona Maria de Santa Fé. Entre eles, Tião das Sete Vidas, ex-jagunço do coronel Marcolino Maia, temido pela crueldade, e, segundo contavam, debandado traiçoeiramente para os lados da Santa Anastácia. Nos fundos da casa, já perto de onde começavam as plantações de cana, via-se Aduelino, filho de Maria das Dores. Um tiro de rifle abriu-lhe um rombo na nuca.

Os últimos três corpos tombaram dentro da casa. Maria das Dores rolou perto do fogão a lenha. A velha cozinheira da família Santa Fé fora baleada no centro do peito. Ao cair, arrastou consigo panelas de barro cheias de ensopado de boi, galinhada, feijão de andu à moda tropeira, as iguarias prediletas da patroa. Já os irmãos Cézar e Cezário, gêmeos de Dona Maria de Santa Fé, morreram no meio da sala, um sobre o outro, a pouca distância da mãe. A fazendeira era, aliás, a única sobrevivente daquele último cerco. Mesmo agora, depois de findado o combate, permanecia aferrada à repetição. Trazia-a agarrada junto ao peito, ainda que estivesse certa da partida dos inimigos. Vez por outra, deixava a arma de lado para abanar as moscas que entravam por portas, janelas, buracos nas paredes e iam pousar sobre os corpos dos filhos.

Dona Maria de Santa Fé, ironicamente, perdera os gêmeos na sequência em que os parira há trinta anos. Primeiro Cezário. Cézar logo em seguida. A poderosa fazendeira, mulher firme, robusta, conhecida léguas afora pela valentia e pelo destemor, pouco pôde fazer para impedir a morte dos herdeiros. Tentou protegê-los numa trincheira montada na sala de casa; deu-lhes armas e recomendações para que desviassem do fogo inimigo; gritou-lhes ordens nos momentos de maior tensão. Nada, porém, surtiu efeito. Ali estava ela, por fim, ao lado do que restou dos filhos – os únicos da família a terem tentado convencê-la, desde há muitos anos, a pôr fim à antiga rivalidade entre os Santa Fé e os Maia. Naquelas ocasiões, irritada com a insistência da dupla e diante do que lhe parecia uma flagrante demonstração de fraqueza, costumava esbravejar:

– Isso é para os fortes! É missão para quem tem coragem! Honrem vossas calças e vosso sobrenome!

Os rebuliços, como eram chamados os conflitos armados entre as duas famílias, tiveram início nos tempos do avô de Dona Maria de Santa Fé. O coronel Duzinho de Santa Fé atravessou a Serra do Boqueirão, um século atrás, para estabelecer roças de cana naquele lado do Rio das Cobras. Fora chamado de louco por acreditar no poder das terras escuras, os tabuleiros, tão mal vistas pelos demais fazendeiros da região e, por isso mesmo, vendidas a preços irrisórios. Os amigos advertiram-lhe à época sobre o risco da proximidade com o rio, que fatalmente transbordaria nas águas de março. Deveria pensar nas suçuaranas que atacariam as criações e inviabilizariam a subsistência da família, bem como nas dificuldades para transportar a produção dos canaviais, através das estradas de barro, até os compradores na cidade. Tudo isso, porém, foi solenemente ignorado. O velho Duzinho, teimoso como ninguém, montou acampamento, derrubou mata, construiu casa, plantou cana e, por fim, usou as águas do Rio das Cobras para mover os cilindros e moendas e fazer funcionar a primeira usina de beneficiamento de açúcar e aguardente do Boqueirão. Foi um sucesso. Contrariando as previsões, tornou aquele pedaço bruto de chão na próspera Fazenda Santa Anastácia.

As notícias sobre a expressiva produção da usina, logo na primeira safra da cana, despertaram interesse e cobiça de outros fazendeiros – mesmo daqueles que, antes, duvidaram do sucesso do empreendimento. Era o caso do coronel Marcionílio Maia, à época ansioso por investir parte das economias em negócios mais rentáveis que a criação de cabras e bodes. Agora convencido de que os tabuleiros também lhe proporcionariam bons lucros com o cultivo da cana, fez o mesmo caminho através da Serra do Boqueirão e foi estabelecer-se em frente à Santa Anastácia, na outra margem do rio, em terras compradas dum antigo posseiro de nome Sidelito Almadeu. Ali fundou a Usina e Fazenda Córrego da Onça. A ideia era aproveitar as benfeitorias iniciadas pelo coronel Duzinho, como os melhoramentos no acesso ao Rio das Cobras e, sobretudo, a nova estrada de cascalho, especialmente aberta para o transporte do açúcar, dos barris de aguardente e das caixas de rapadura. Não por outra razão, a chegada dos Maia foi considerada uma grande ofensa, a maior das afrontas àquele que, sozinho, revolucionou os tabuleiros do Boqueirão. Duzinho rechaçou veementemente a atitude de Marcionílio, o "intruso", acusando-o de aproveitador, desonesto, desleal. Esteve às vias de expulsá-lo do Córrego da Onça e o teria feito não fossem as pressões de amigos em comum. Acabou por aceitar a presença de Marcionílio, mas a convivência pacífica entre eles se mostrou impossível desde o início, e mais ainda quando, para surpresa de Duzinho, os excelentes resultados da Usina Córrego da Onça, também nas safras iniciais, tornaram-se uma ameaça concreta aos interesses da Santa Anastácia.

Por essa ocasião, com os ânimos prestes a explodir numa guerra sem precedentes, os coronéis montaram suas equipes de guarda. Pretendiam impedir à força o avanço dos negócios um do outro. Assim, arregimentaram os mais bravos entre os homens da Serra do Boqueirão e além dela, e os incumbiram de cuidar da segurança das fazendas. Os capangas eram ex-jagunços, ex-prisioneiros e alguns, conforme asseguravam os mexeriqueiros da cidade, foragidos da justiça. Sujeitos de grande valentia, os mais exímios atiradores já vistos por ali, pequenos exércitos que consumiam parte significativa dos lucros gerados pela produção da cana. Os rebuliços, então, estouraram. Jamais se soube, com precisão, qual teria sido o estopim do primeiro combate armado – se a invasão de parte das terras do coronel Duzinho ou se a sabotagem ao sistema de irrigação do coronel Marcionílio. Fato é que a paz armada arrebentou em guerra e o tempo dos conflitos estava declarado. O embate inicial, numa distante tarde de domingo, resultou em seis baixas – três para cada lado. A esse rebuliço seguiram-se outros, muitos outros, tantos que, em determinado momento, era quase impossível calcular quantos homens vieram ao chão. Os próprios coronéis Duzinho e Marcionílio, anos após o primeiro rebuliço, tombaram no lendário cerco à Usina Córrego da Onça.

O ódio entre as famílias transferiu-se para os herdeiros de Duzinho e Marcionílio – os coronéis Aduziano e Marcionílio Filho. Foi nessa época que o prefeito, o delegado e o juiz da cidade, unidos numa missão de paz, esforçaram-se para acabar com os rebuliços. O principal argumento era o fato de que, naqueles tempos correntes, modernos, já não se usava resolver conflitos com canos de ferro, à boca do trabuco, na ponta do facão, em tocaias ou cercos às fazendas – expedientes comuns aos bárbaros que, no passado, não aceitavam o diálogo nem reconheciam a força das autoridades públicas. Minguaram, entretanto, os propósitos da missão de paz. As autoridades foram enxotadas das duas fazendas e convidadas a não mais aparecerem por lá. Fossem os digníssimos representantes dos poderes públicos cuidar dos negócios da cidade, da polícia e da justiça. As questões relacionadas às fazendas seriam resolvidas à moda dos seus proprietários.

Calaram-se os interessados no fim dos rebuliços. Já não havia o que fazer. Na cidade, diante do vexatório insucesso da missão de paz, correu à boca pequena o boato segundo o qual, para não interferirem na rivalidade entre os Santa Fé e os Maia, o prefeito, o delegado e o juiz teriam recebido dos coronéis gorda soma em dinheiro – o que jamais ficou provado. Falatório à parte, autoridades, moradores da cidade e fazendeiros amigos, vizinhos das duas famílias, viram recrudescer o ódio entre elas, à medida que suas fortunas aumentavam com a cana e a comercialização dos seus derivados. Aduziano de Santa Fé e Marcionílio Filho produziram os mais sangrentos conflitos do Boqueirão. Neles morreram Dadinho, Terêncio e Otávio de Santa Fé, filhos de Aduziano, e, da outra parte, Bento e Olegário, filho e sobrinho de Marcionílio Filho, além da esposa deste último, Dona Teté de Abdias, queimada viva durante um incêndio nos canaviais dos Maia. Não entram nesses números os muitos cabras mortos em combates e logo substituídos por outros homens, mais valentes, violentos, dispendiosos.

Quis o destino, contudo, que Aduziano de Santa Fé e Marcionílio Filho morressem velhos e doentes, cheios do ódio e do desejo de vingança que os alimentou durante décadas, e não alvejados por tiro ou sangrando pela lâmina afiada dum facão. Cego de um olho, arrasado pelo impaludismo e já no leito de morte, Marcionílio Filho fez o caçula, Marcolino, jurar que não deixaria vivo homem ou mulher que assinasse o sujo sobrenome dos inimigos. No caso dos Santa Fé, mortos os filhos varões, restou ao decrépito Aduziano transmitir à única filha, Maria, o compromisso de vingar os finados e honrá-los com sangue até seus derradeiros instantes.

Dona Maria de Santa Fé casou-se cedo e aos vinte anos já havia parido os dois únicos filhos. Mas Cézar e Cezário, para desgosto da mãe, não herdaram o ódio pelos Maia. Em verdade, questionavam o sentido de tamanha rivalidade, a razão de ser duma guerra que não pediram nem desejavam para si. Nas palavras da fazendeira, puxaram o "sangue fraco" do pai deles, o finado professor Adonias, metido a cordelista e cantador, e morto há uma década, vítima de sopro no coração. Os gêmeos, da mesma forma que o pai, não se envolviam nos rebuliços. Limitavam-se a cuidar dos negócios da Santa Anastácia – desde a plantação da cana até a venda da produção na cidade. Porém, certa feita, estiveram presentes num dos cercos, ocasião em que, defendendo-se de uma investida surpresa do coronel Marcolino Maia na beira do Rio das Cobras, Dona Maria de Santa Fé acertou um tiro de espingarda nas costas do inimigo, deixando-o manco de uma das pernas para o resto da vida. A partir daquele episódio, e até seus últimos dias, Cézar e Cezário insistiram nas tentativas de persuadir a mãe a pôr fim à tradição de ódio entre as famílias e selar um acordo de paz. A fazendeira, entretanto, não se deixava dobrar. Prometera ao velho Aduziano honrar o sobrenome Santa Fé e desse compromisso não fugiria.

Eram essas as recordações que tomavam Dona Maria de Santa Fé desde o fim do rebuliço. Mergulhara nelas assim que os filhos tombaram e só as abandonava, de quando em vez, para tentar, inutilmente, afastar as varejeiras que invadiam a casa em quantidade cada vez maior. As moscas estavam agora em todos os cômodos, desde os alpendres até as varandas, da soleira ao teto, enfiadas em nichos, gavetas, armários e até nos bolsos das roupas penduradas atrás das portas. Os cadáveres de Cézar e Cezário, caídos aos pés da fazendeira, traziam um ar sério, uma espécie de sisudez que nada lembrava as brincadeiras de costume, as galhofas de horas antes, quando a dupla retornara de uma entrega de rapaduras na cidade. Os irmãos aproveitaram a viagem para comprar roupas novas e presentes para o aniversário de cinquenta anos da mãe, dali a dois dias. A notícia da festança circulava há semanas pela Serra do Boqueirão. Noutro assunto não se falava. Convites foram enviados aos fazendeiros vizinhos, ao padre, aos comerciantes de maior prestígio e aos principais clientes da Santa Anastácia, empresários de armazéns e casas distribuidoras. Todos confirmaram presença, mas, ante o risco de uma emboscada, como de fato se passou, poucos compareceriam, desculpando-se posteriormente com os já conhecidos pretextos. O aniversário seria celebrado, como de costume, apenas pela fazendeira, seus filhos, colonos e capangas. Esses, sim, haveriam de aproveitar os muitos tira-gostos e quitutes caprichosamente preparados por Maria das Dores, a bebida farta, o trio de forró animando o terreiro até quebrarem as barras.

    O coronel Marcolino Maia enxergou naquela festa de cinquenta anos a oportunidade para um novo e, se sorte tivesse, definitivo cerco à Santa Anastácia. Reuniu os cabras para o que chamou de "presente antecipado" à vizinha fazendeira. Estava disposto a acabar com ela e os Santa Fé antes que o aniversário pudesse ser festejado. Aproveitaria o clima de descontração que imperava do outro lado do Rio das Cobras para surpreendê-los. Assim fez. Partiu até a Santa Anastácia, pouco antes do meio dia, comandando trinta homens montados e cobertos de carabinas, espingardas de antecarga, um ou outro bacamarte turco, revólveres e pistolas. O coronel Marcolino Maia trazia seu costumeiro "papo amarelo", um cano longo estrategicamente apoiado na sela do animal. Marchava na dianteira do bando. Não era prática usual, mas fizera questão de capitanear os homens naquele rebuliço. A casa dos Santa Fé foi cuidadosamente cercada. João de Tonga e Beduíno, que estavam de sentinela à frente do terreiro, receberam as descargas iniciais. Aos primeiros estampidos, os colonos, trabalhadores dos canaviais, vaqueiros, funcionários dos currais e estábulos fugiram apressadamente. Não se envolviam nos "assuntos da guerra", como habituaram-se a dizer. Tião das Sete Vidas fazia a vigília na retaguarda da fazenda. Correu por uma das varandas na direção de onde vieram os disparos. Deu de frente com o antigo patrão, assenhoreado no alto do cavalo de crinas compridas. Mal teve tempo de esboçar surpresa. Alvejado pela "papo amarelo", desabou com o rosto na terra, a arma engatilhada, nenhum tiro disparado. O coronel Marcolino Maia riu satisfeito, vaidoso da pontaria. Estavam, enfim, acertadas as contas com o "traidor". Deu-se, então, uma saraivada como poucas vezes o Boqueirão testemunhara. Balas de variados tamanhos atingiam portas, janelas, caibros, ripas, paredes, vidraças, reduzindo o vigoroso reboco à uma densa e esbranquiçada poeira. Pedaços inteiros de adobe e tijolos voavam por sobre os capangas. Quadros com paisagens, santos de gesso, o relógio de parede, cristais e alfaias portugueses, os ricos lustres, retratos dos Santa Fé já falecidos vieram abaixo. Nem a imagem de Santa Anastácia, abrigada no oratório de madeira, restara intacta.

    A fazendeira e os filhos, surpreendidos pelos tiros e pela gritaria, correram para a sala. Os capangas, por sua vez, tomaram posição ao redor da casa, o mais perto possível de onde pudessem ouvir as ordens da patroa. Aos berros da mãe, Cézar e Cezário pegaram as armas guardadas na canastra especialmente confeccionada para esse fim. Entrincheiraram-se entre baús, cadeiras, um biombo, a grossa mesa de jacarandá. Mesmo o sofá de cedro foi usado como escudo. Disfarçando uma apreensão atípica, Dona Maria de Santa Fé cantou ordens, avisos, recomendações necessárias aos comandados do lado de fora, que, mesmo em número menor, resistiam bravamente ao cerco, e aos filhos a seu lado, pálidos de horror. Insistia para que deitassem no chão e procurassem livrar a cabeça dos tiros. Deveriam mirar num alvo fixo e, só então, atirar. Cézar e Cezário, no entanto, não possuíam a habilidade e o espírito combativo da mãe. Não tinham treino, experiência. Pegaram em armas há muitos anos, no início da vida adulta, e só depois que o pai morrera. Por isso, e talvez pelo medo que os devorava, mal conseguiram apertar o gatilho das repetições. Inexperientes nas artes da guerra, tombaram facilmente ante a mira precisa dos adversários. Ao vê-los atingidos, estrebuchando-se no chão, Dona Maria de Santa Fé gritou de tal forma que se fez ouvir mesmo em meio à azáfama do tiroteio. Debruçou-se sobre eles em tempo de lhes ouvir os grunhidos abafados, os soluços, o arfar do peito. Mas não desabou. Aprendera, ainda pequena, que a lógica da guerra não permite pausas para lamentações. Para chorar os filhos e depois vingá-los, precisaria sobreviver. Assim, pois, tornou à repetição.

 Dona Maria de Santa Fé e os capangas da Santa Anastácia responderam ao cerco muito além do que o coronel Marcolino Maia imaginara ser possível. Opuseram tamanha resistência que, mais de uma vez, os inimigos desconfiaram que eles estariam em número superior ao que haviam calculado inicialmente. Só no meio da tarde, com ligeiros intervalos para repor a munição e molhar a garganta com cachaça, o tiroteio acabou. Certo de que apenas a fazendeira restara viva, o coronel dirigiu-se até ela, acompanhado de perto por Sandoval, o chefe da guarda, e outros três homens. Arrastava a perna manca sem o menor sinal de pressa. Era a primeira vez que colocava os pés na sede da Santa Anastácia. E ainda que destruída, esfacelada, pareceu-lhe ter sido uma digna moradia, robusta e bem assentada. Trazia a arma engatilhada, em posição de disparo, mas evitou apontar a "papo amarelo" na direção da fazendeira. Encontrou-a no chão, coberta de sangue, o olhar pousado sobre os filhos, a mão afugentando moscas.

– É o fim. Vosmicê perdeu – disse ele.

– Veio terminar o serviço? – respondeu secamente a dona da casa.

– O serviço está terminado. Não tem mais o que fazer.

Dona Maria de Santa Fé levantou os olhos para o adversário. Havia neles uma mistura de ódio, incredulidade, cansaço.

– Eu ainda respiro, coronel. E não pense vosmicê que vou implorar por minha vida. Se quer me acabar, que me acabe agora.

Marcolino Maia abaixou a arma de vez. Ajoelhou-se com certa dificuldade. Olhou ao redor, parando alguns instantes em silêncio.

– Não é preciso. Veja vosmicê mesma. Está tudo acabado, tudo findado. Vou deixar vosmicê viva. Vosmicê tem dois filhos e muitos cabras para enterrar.

Disse e levantou-se. Antes de dar as costas e partir rumo ao Córrego da Onça, o coronel voltou-se mais uma vez para a fazendeira.

– Vosmicê meteu uma bala em minhas costas e me deixou aleijado. Perdeu a chance de acabar comigo naquela ocasião. Mas esse acerto de hoje não é só pelo tiro nem pelo aleijão. É pelo meu avô, meu pai, minha mãe, meu irmão, meu primo. É pelo sangue derramado dos Maia. Também é por mim. E depois de tudo, se vosmicê ainda quiser vingança, sabe onde me encontrar.

Suja, descabelada, sem ânimo algum, Dona Maria de Santa Fé ruminou as palavras do coronel por muitas horas. Remoeu o compromisso selado com o pai no leito de morte, os apelos dos filhos para que acabasse com a guerra. Se esforçou para lembrar dos que morreram nos rebuliços anteriores, seus nomes, idades, feições. Mas restaram somente sombras, vultos, fantasmas. Quantos, afinal, se foram? Quem eram eles? Em quais circunstâncias tombaram? Tiveram morte rápida? Foram sepultados em cova rasa? Alguém rezou por suas almas? Todas aquelas perguntas e lembranças boiavam em sua cabeça. Havia passado o resto da tarde sentada junto aos cadáveres de Cézar e Cezário. Estava exausta, doída, as pernas formigavam. Não sentia fome ou sede. O único desejo, agora, era chorar, sofrer, desesperar-se profundamente. Queria poder experimentar o ódio regressando às veias, às vísceras, tomando-a como antes, como quando, ainda pequena, pegara em armas e aprendera a matar. Desejou sentir vontade de vingança. Mas o que permaneceu foi o vazio. O mais completo vazio. Um vazio em que reverberavam as palavras do coronel Marcolino Maia, os insistentes pedidos dos filhos agora mortos, um cansaço extremo.

Quando os primeiros raios do crepúsculo começaram a invadir a casa, derramando-se sobre os dois cadáveres e projetando no chão e nas paredes as sombras das moscas, só então Dona Maria de Santa Fé se levantou para tomar ciência do estado em que se encontrava a Santa Anastácia. Agora o semblante duro, trancado, deixava transparecer algo além do vazio absoluto, uma expressão enigmática, típica dos Santa Fé nos momentos que antecediam grandes decisões.

A fazendeira estava decidida quanto ao que faria. Percorreu a casa, as varandas e o terreiro e inventariou os mortos, com novas força e disposição, um fôlego de quem não parecia ter há poucas horas perdido os filhos e sobrevivido à morte. Sabia que os colonos não tornariam a aparecer até o raiar do dia seguinte e, por isso mesmo, trabalharia sozinha. Foi ao estábulo e selou dois dos melhores cavalos. Em seguida, no curral, engatou quatro reses a um carro de boi e os levou ao centro do terreiro. E foi assim que, ao cair da noite, buscando forças não se sabe onde, pôs-se a colocar, um a um, os corpos sobre a carroceria do carro de boi. Os últimos foram os cadáveres de Maria das Dores e do filho dela, Aduelino. Só então, já lavada em suor, Dona Maria de Santa Fé voltou ao interior da casa para envolver os filhos em dois lençóis de cambraia, peças do antigo enxoval de casamento. Colocou-os sobre um dos cavalos, prendendo-os à sela com uma rígida corda e, por fim, amarrou os dois animais no fundo do carro de boi. Antes de deixar a Santa Anastácia, a fazendeira retornou uma derradeira vez à cozinha, apanhou um tição que ainda queimava no fogão a lenha e pôs fogo em todos os estofados e tecidos da casa, cortinas, lençóis, toalhas, tapetes, almofadas e tudo quanto pudesse produzir chamas. Respirou fundo e deixou a fazenda a pé, arrastando um carro de boi, dois cavalos e dezessete cadáveres. Atrás de si, em grandes labaredas, ardia a Santa Anastácia, sede dos Santa Fé desde a chegada do velho Duzinho.

As barras já haviam quebrado quando o cortejo fúnebre cruzou o Rio das Cobras no trecho mais raso, próprio para travessias, e chegou ao Córrego da Onça. Dona Maria de Santa Fé fora recebida por Sandoval, visivelmente atordoado diante da visita improvável. Antes que o chefe da guarda pronunciasse uma só palavra, a fazendeira ordenou num tom imperativo:

– Avise ao seu dono que estou aqui!

Sandoval correu em disparada até a sede do Córrego da Onça. Voltou no mesmo galope, instantes depois, sôfrego, mandando a fazendeira seguir adiante.

– O coronel vai receber a senhora.

Lá foi Dona Maria de Santa Fé, sem pressa e sem medo, conduzindo seus mortos. O coronel Marcolino Maia estava em pé, parado defronte à casa, com a "papo amarelo" engatilhada.

– Não vim em busca de revide, coronel. Pode abaixar a arma – disse ela.

– O que vosmicê deseja? Já não teve o bastante?

– O coronel estava certo. Está tudo acabado. Para mim, para os meus. É findado o tempo dos rebuliços e o tempo dos Santa Fé. Estou partindo para nunca mais.

O coronel Marcolino Maia assentiu com a cabeça. Havia vencido, e ainda que não demonstrasse, as palavras da inimiga derrotada enchiam-lhe o peito. Vaidoso, manteve-se de ouvidos atentos, absoluto, um rei sobre a varanda da imponente casa.

– Eu vim lhe trazer o que lhe pertence. Agora esses mortos são seus, não meus. O senhor e os seus homens os mataram. Que tratem de enterrá-los ou de comê-los. Do enterro dos meus filhos cuido eu.

Fez-se silêncio. Os homens do coronel olharam demoradamente para ele, como se pedissem autorização para acabar, ali mesmo, com a insolente e derradeira Santa Fé. Marcolino Maia, num discreto gesto, ordenou que permanecessem onde estavam. Sandoval conhecia o chefe. E por conhecê-lo bem, a fundo, teve a impressão de notar um ligeiro ar de admiração nas feições do coronel ante a ousadia da antiga adversária.

Dona Maria de Santa Fé nada mais disse. Deixou o carro de boi em frente à sede da Córrego da Onça. Montou num dos cavalos, deu as costas e saiu puxando calmamente o animal que transportava os corpos de Cézar e Cezário. Acompanhada de longe pelo coronel e seu exército de cabras, a fazendeira rumou na direção da Serra do Boqueirão, no sentido oposto à Santa Anastácia. Dobrou uma curva na estrada, e, por fim, sumiu por entre uma densa nuvem de poeira.

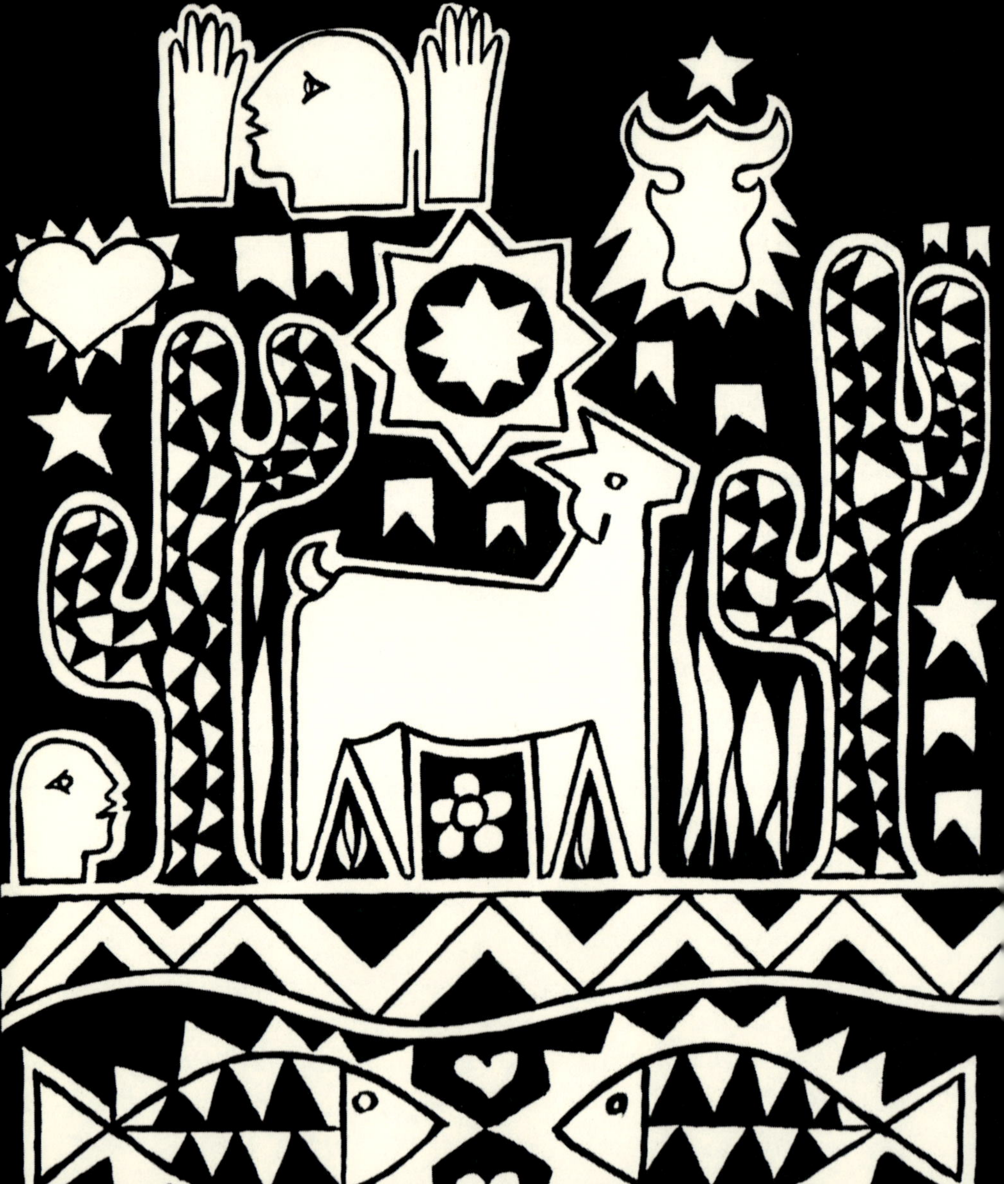

Beato Conceição

Embora muitas lendas tentassem explicar a origem do Beato Conceição, verdadeiramente pouco se sabia a respeito dele. Diziam os mais antigos, jurando certeza absoluta, que o velho andarilho teria sido um padre excomungado da Igreja, em razão dos métodos pouco ortodoxos que costumava empregar nas paróquias por onde passou. Outros asseveravam que ele descendia de uma rica família de comerciantes na distante Toca da Raposa, para os lados do Riacho da Ema, e que teria sido expulso de casa por não regular do juízo. E assim as mais variadas teorias se espalhavam pelo sertão, de um lado a outro da caatinga e dos chapadões, criando novas lendas e ampliando a fama corrente. Atribuíam-lhe poderes mágicos, capacidades sobre-humanas, talentos incríveis. Só o Beato Conceição conseguiria curar doentes de cama; bastava que levantasse a mão para que aleijados tornassem a andar; suas palavras, quando ditas ao pé do ouvido, em cochicho, eram capazes de endireitar os miolos dos doidos e fazer grávidas em trabalho de parto darem à luz sem sofrimento. O toque de um dedo do beato, junto à testa, faria descansar um moribundo em leito de morte.

Mas o poder mais extraordinário que lhe atribuíam era, sem dúvida, o de mandar chover no sertão. Tanto que acabou ganhando uma alcunha: "Beato da Chuva". E era nesse poder divino que o povo das Imburanas falava naqueles dias de seca terrível. Há cinco anos não chovia por ali. Viviam, portanto, os anos mais difíceis desde a estiagem do início do século, quando toda a população das Imburanas, não mais que trezentas pessoas à época, bateu em retirada para as terras do Sul, em busca de água e comida. Agora o fantasma voltava a rondar os descendentes daqueles que partiram há muito tempo. A seca já havia devorado pastos e lavouras; extinguira poços, aguadas, açudes, barragens; o gado penava de fome e sede, do mesmo modo que as criações de cabras e ovelhas. Eram dias de pavor geral, de um medo coletivo, da esperança minguada e já beirando ao fim. Os mais religiosos, a exemplo do vigário Otaviano, insistiam em conclamar a população à reza e às orações na capela de Nossa Senhora das Virtudes; e as missas andavam cheias e concorridas mesmo agora, quando, conforme já se notava, a fé num milagre imediato parecia começar a falhar. Alguns falavam em abandono divino, castigo, praga dos céus; outros planejavam ir embora dentro de um mês ou antes; aliás, havia quem tivesse partido. Era o caso do compadre Afofô, um caixeiro-viajante que reuniu a mulher Adalvina e os três filhos numa carroça e rumou para longe das Imburanas.

Sem divisarem o menor fiapo de nuvem e com o sol crepitando tudo em volta, os imburanenses não sabiam a quem rogar. Foi então que se lembraram do Beato Conceição. Somente ele, com seu poder incontestável, poderia salvá-los da morte certa e galopante. Somente o Beato da Chuva livraria as Imburanas do terrível fim que se avizinhava. Existia, entretanto, um problema de ordem prática: onde encontrá-lo? Por que confins de sertão andaria o beato milagreiro? Ninguém possuía a resposta. Não se sabia do paradeiro do andarilho – e jamais se soube, ao certo, por quais caminhos ele errava. Essa, inclusive, era uma das muitas lendas em torno dele. Conforme asseguravam, o beato aparecia e desaparecia misteriosamente, sempre em locais diferentes, em pontos distintos uns dos outros, dispensando os avisos. Maria de Totonha, funcionária da Casa das Rações, dissera ter ouvido falar do beato, meses atrás, peregrinando pelas bandas da Lagoa Torta. Romualdo, o Romú, famoso amolador de facas, afirmava ter recebido carta de uma tia, moradora dos Marimbús, noticiando a recente passagem do beato por lá. João das Cabras, fazendeiro de grande prestígio e homem temente a Deus, reuniu na capela de Nossa Senhora das Virtudes os moradores mais destacados: além, claro, do vigário Otaviano, lá estavam o prefeito Adolfinho, o delegado titular Temístocles, cinco vereadores, o dono da Casa das Rações, Dona Beleziana e os maiores fazendeiros das Imburanas. Deveriam traçar um plano para localizar e fazer chegar ali, sem muita demora, o Beato Conceição.

Horas após os debates, resolveram montar uma expedição com o fim de vasculhar os cantos mais longínquos do sertão em busca do milagreiro. Cada morador das Imburanas, dentro das suas possibilidades, deveria contribuir com uma soma em dinheiro, água e mantimentos; e os fazendeiros comprometeram-se a fornecer animais para a jornada caatinga adentro. Criada a expedição, três dias depois partiram doze homens e muitas mulas com destino incerto. Deveriam farejar cada pista que encontrassem, cada pedaço de informação que pudessem levá-los ao Beato Conceição. A ordem era só retornar com ele. Passaram-se muitos dias sem notícia alguma. Nada de cartas, bilhetes ou recados trazidos por viajantes. Só o silêncio e a dúvida quanto ao sucesso da empreitada.

Antes que um recado ou carta da expedição chegasse aos moradores, eis que, ao romper da aurora, naquele que prometia ser outro dia terrivelmente abrasivo, o Beato Conceição surge repentinamente nas Imburanas. Chega acompanhado de uma pequena multidão de seguidores. Ali estavam miseráveis, doentes, loucos, aleijados, fanáticos religiosos, mulheres da vida, bêbados, jagunços convertidos, ciganos em tendas móveis. Era, ao mesmo tempo, uma imagem extraordinária e aterradora. Marcharam até defronte à capela de Nossa Senhora das Virtudes e lá arriaram os cacarecos. Faziam tamanho alarido que os moradores despertaram quase ao mesmo tempo. O beato foi recebido pelo vigário Otaviano, que lhe beijou devotadamente a mão magra e suja. Logo apareceram os demais: João das Cabras, o prefeito Adolfinho, os vereadores pateticamente vestidos nos trajes usados em sessões na Câmara Municipal. Fizeram festa ao ver o Beato da Chuva, mas torceram o nariz para o séquito. Eram sentimentos contraditórios: a alegria em ver, enfim, o homem santo a quem buscavam, e o nojo diante da gentalha guiada por ele. Feitas as apresentações, João das Cabras e o prefeito Adolfinho explicaram em detalhes a situação das Imburanas e a urgência para que o beato lhes mandasse chuva. Cerimonioso, o Beato Conceição assentiu com a cabeça a cada palavra dita e, por fim, deu-lhes seu parecer: a situação era, de fato, muito grave. Gravíssima. Não lhes prometeria solução, que só caberia a Deus, mas esforçar-se-ia para ajudá-los.

Haveria, porém, um preço a ser pago. Em poucas palavras, como de costume, o Beato Conceição mostrou-lhes a necessidade de um sacrifício coletivo para que ele, pelas graças do Altíssimo, trouxesse a chuva. A saber: os moradores das Imburanas deveriam repartir bens e pertences com os seguidores do beato. O dinheiro guardado, as joias de família, a comida da despensa, além de barris de água e, para os que assim desejassem, a cachaça para os momentos de celebração. Ele, mesmo, nada pedia, nada desejava. E mais: para que o milagreiro pudesse invocar a chuva, com suas rezas e benditos, os fazendeiros da região deveriam sacrificar um animal de sua propriedade, o em melhor estado, fosse boi, cabra ou bode. A carne seria charqueada e doada aos miseráveis da comitiva. As cabeças, entretanto, deveriam ser espetadas em estacas de madeira e colocadas diante das respectivas fazendas. João das Cabras voltou a convocar os moradores das Imburanas para nova assembleia na capela das Virtudes. Discutiram longamente os termos do beato, custando a chegar a um entendimento. De um lado, os que aprovavam as condições do milagreiro, a derradeira esperança dos que viviam naquele grotão; do outro, aqueles que, ante as evidências, agora viam no andarilho um mero aproveitador. Recorreu-se a uma votação e, desse modo, venceram os que aprovavam a interferência do Beato da Chuva.

Acomodados na praça, diante da capela, os maltrapilhos começaram a receber a parte que lhes cabia no sacrifício do povo das Imburanas. Foram alimentados, mataram a sede; repartiram entre eles o dinheiro e as joias recolhidos de casa em casa, não sem a resistência de muitos moradores. A turba comemorou com vivas e agradecimentos ao beato, a quem seguiriam onde quer que fosse. Mas era uma turba com propósitos bem dissemelhantes. Na gentalha havia os que, movidos pela fé, adjutoravam cegamente o andarilho em suas missões milagrosas, mas também, e seguramente a maior parte, aqueles que se beneficiavam da fama e do prestígio do beato, comendo, bebendo e farreando apenas. O beato, porém, pouco se importava com isso. Fazia o próprio rumo com ou sem séquito, agradando ou não, costurando os caminhos dos sertões ora rodeado de muitos, ora sozinho.

Seguiram-se, então, o sacrifício dos animais e a partilha da carne entre os miseráveis. Deu-se outra festa ruidosa no centro das Imburanas, regada à melhor cachaça e à música dos ciganos. O Beato Conceição dirigiu-se até o alto duma colina, sentou-se à sombra de um umbuzeiro e lá começou a rezar. Ali ficaria durante sete dias, em isolamento, invocando a chuva com palavras e preces que somente ele compreendia. Não receberia comida ou água durante esse período. Era o momento de falar com Deus, pedir-lhe perdão, misericórdia, chuva. Foram dias de grande expectativa. Os imburanenses não desgrudavam os olhos do beato e do céu. Acompanhavam atentamente o movimento do sol. A ansiedade aumentava à medida que o tempo corria e nenhum sinal de trovoada era notado. Para agravar, tão logo os restos de carne foram devorados pelos acampados, cresceu a tensão entre estes e os moradores. Os maltrapilhos exigiam mais comida, mais cachaça. Os imburanenses se recusavam a lhes dar. Já haviam feito sacrifício bastante para tantos desocupados. Pedro Pondé, o delegado adjunto, interveio em mais de uma briga. Houve, inclusive, um tiro disparado na direção da capela. A origem da bala, porém, não ficou definida. Por prudência, os fazendeiros decidiram andar armados pelas ruas das Imburanas. Eram vistos sempre em grupos, subindo e descendo as ladeiras, preocupados com o que se passava no acampamento. Mulheres e crianças, como medida de precaução, estavam proibidas de sair de casa sem a companhia de um homem. Foi nesse clima tenso, de paz armada, que a expedição dos doze muleiros retornou às Imburanas. Não haviam, como já se sabe, localizado o beato, mas traziam incríveis notícias de seus muitos feitos por todo o sertão. Eram relatos os mais extraordinários possíveis, de façanhas inimagináveis, que só reforçavam a correta decisão de terem os moradores acatado as condições impostas pelo beato para invocar a chuva.

O quadro, contudo, não correu conforme o desejado. No fim do sexto dia, quando a turba já se mostrava inteiramente sem controle, uma comissão formada pelo vigário Otaviano, pelo prefeito Adolfinho e por João das Cabras foi ter com o Beato Conceição em seu isolamento sob o umbuzeiro. Estavam, naturalmente, ansiosos por uma resposta positiva. Do milagreiro dependia não apenas a chuva, mas agora, também, a segurança das Imburanas. O beato escutou calado, com os olhos cerrados e a respiração acelerada. Voltou a cabeça para o céu e apontou o dedo para cima:

– Quem manda é Deus. Eu apenas peço. Carece de ter paciência e fé.

Bastou o beato se calar para o motim explodir na praça das Imburanas. Insuflado pelos ciganos, o pequeno exército de maltrapilhos invadiu ruas, comércios, a Casa das Rações, a sacristia da capela e grande parte das residências. A multidão faminta corria até as despensas em busca de comida e cachaça. Naquela balbúrdia, destruía o quanto encontrasse pela frente. Crianças, velhos e mulheres foram pisoteados. Dona Beleziana saltou da janela de casa, invadida momentos antes, e por pouco não quebrara o pescoço. A reação dos imburanenses foi imediata. Tiros foram disparados. Alguns invasores morreram na hora. Outros foram arrastados até as ruas e executados à queima roupa. Imburanas virara um caos. O prefeito Adolfinho e João das Cabras deixaram o vigário Otaviano ao lado do beato, por segurança, e rapidamente desceram a colina em direção à praça. No caminho, o fazendeiro enroscou-se em luta com um ex-jagunço. Saiu da briga com um corte de facão na barriga, as vísceras expostas. O delegado titular Temístocles, que na assembleia da capela das Virtudes se opusera às imposições do beato, resolveu ir até a colina, arrastar o andarilho do seu isolamento e fazer com que pusesse fim àquele motim. Parte dos moradores aprovou a decisão. Um grupo capitaneado por Temístocles marchou até o umbuzeiro e encontrou o beato de pé, braços levantados para o alto, a cabeça voltada para o céu. O vigário Otaviano ali permanecia, calado, murcho de medo. Sem demonstrar resistência, mas firme nas palavras e gestos, o velho milagreiro disse ao grupo que não iria à parte alguma. Aquele era o seu lugar e lá continuaria até que a chuva viesse. Assim fora o combinado. O delegado titular tentou levá-lo à força. Puxou-o pelo braço e acabou por arrancar-lhe a túnica azul escura, puída da gola até as barras. O beato não teve tempo de cobrir-se. O rosto miúdo se contraiu. Estufaram os olhos fundos e de brilho intenso. O corpo franzino, enrugado, coberto de poeira, pareceu ainda menor, ainda mais frágil. E, para surpresa dos que ali estavam, revelou-se, em verdade, ser o beato uma mulher. Choque tremendo tomou a todos. Estavam tão perturbados diante daquela revelação que sequer ouviram o ronco dos primeiros trovões. Somente quando os raios clarearam o céu, a surpresa deu lugar à alegria. A chuva estava a caminho! Quando a chuva, enfim, desabou pesadamente sobre as Imburanas, o motim acabou. Os moradores, agora, se abraçavam e pareciam já terem esquecido os episódios de momentos atrás, as brigas, as mortes, tiros e facadas. Saíam às ruas para celebrar o retorno da chuva e sequer se importavam com os corpos dos maltrapilhos caídos aos seus pés. Temístocles, sem saber o que fazer, resolveu usar uma corda para amarrar a beata no tronco do umbuzeiro até que pudesse contar aos demais o que havia se passado e, então, em conjunto, eles decidiriam como proceder. O grupo reunido pelo delegado titular e seguido pelo vigário Otaviano marchou até a capela de Nossa Senhora das Virtudes, a essa hora abarrotada. Muitos ali exibiam ferimentos, machucados, cortes. Orgulhosos estavam das marcas e feridas. Outros, contritos, rezavam diante da imagem do altar, agradecidos, satisfeitos, cheios da fé renovada. Seria o fim dos cinco anos de agruras e sofrimentos. Estariam, portanto, salvos da fome, da sede, da iminente necessidade de partir para as terras do Sul.

    Lá fora, alheia à felicidade geral, a chuva engrossava. A trovoada inicial evoluiu violentamente para uma tempestade. Raios caíam a todo o momento, aqui e acolá, acendendo o céu do sertão. O ribombar dos trovões pipocava a ponto de enlouquecer os animais. Cavalos e mulas fugiam para a caatinga, à procura de um pouso seguro. Não demorou para a chuva encher aguadas, poços, cacimbas, açudes e barragens; os rios regurgitavam num volume inacreditável. O Riacho da Ema transbordou e suas águas desceram em velocidade, indo encontrar-se com as águas do Rio das Pedras e do Ribeirão Encarnação, já perto das Imburanas. Rios e riachos formaram uma torrente, uma volumosa tromba d'água que descia comendo a terra, as árvores, os barrancos, as pedras dos leitos antes secos. A manhã do sétimo dia pareceu um prolongamento da noite anterior. E o efeito da enxurrada foi, então, devastador. Casas foram inundadas, outras tantas desabaram; o teto da delegacia veio abaixo, soterrando o delegado adjunto, Pedro Pondé, e quinze ciganos que para lá foram levados horas antes. O teto da igreja ruiu. Despencaram nichos, torre, nave. Aqueles que lá estavam, em oração de agradecimento, mal tiveram tempo de correr. Trinta e dois corpos foram retirados dos escombros – inclusive o do vigário Otaviano, encontrado embaixo do sino. A chuva durou duas semanas – ininterruptamente. Tempo suficiente para destruir as Imburanas, da sede à zona rural. As fazendas viraram ilhas. Casas e casebres desapareceram embaixo d'água. Dezenas de bois, cabras e bodes apareceram mortos, boiando; outras tantas foram arrastadas por muitos quilômetros de distância.

Quando o dilúvio terminou e o sol, enfim, reapareceu, viu-se que pouco restou das Imburanas. Nenhuma casa, nenhum prédio, por maior ou menor que fosse, permaneceu em pé sem algum tipo de dano. Firme, mesmo, apenas o velho umbuzeiro no alto da colina, onde a beata havia sido amarrada no primeiro dia de chuva. As cordas usadas pelo delegado titular Temístocles continuavam em volta do tronco. Mas a milagreira havia desaparecido, tão misteriosamente quanto chegara.

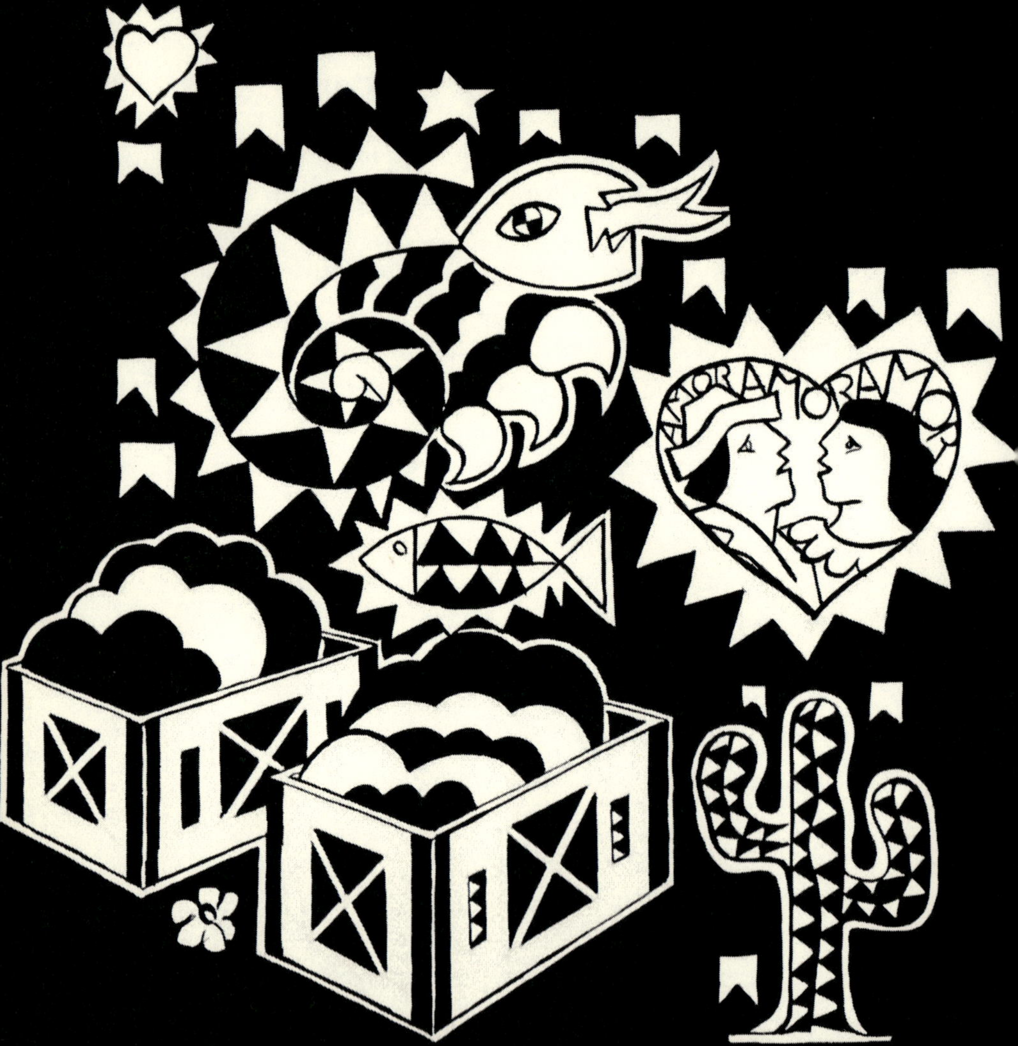
AMORAMORAMOR

O escândalo das irmãs Santana

– Espia só! A danada tirou o luto! – admirou-se Pulquéria.
– É uma desassuntada! – Rosário completou.

Debruçadas sobre a janela de casa, numa das esquinas da Rua do Mijo, as irmãs Santana espreitavam a passagem de Maria da Glória, seu rebolado de bunda grande, suas ancas largas, cadenciadas. Reparavam, afetadas, nas pernas roliças sob o vestido bege, pura insinuação a caminho do Armazém de Ezequiel e Glorinha. A jovem comerciante transformara-se no alvo predileto das recatadas irmãs, senhoritas decentes, honradas, fiéis aos bons costumes que – Deus tenha misericórdia! – já há muito estavam se perdendo naquele sertão pecador. Decentes e alertas. Vigilantes. Eram, por assim dizer, os olhos da moral. E que olhos curiosos tinha a moral, que línguas ferinas!

– O coitado do marido ainda nem esfriou na sepultura. Que tristeza, Senhor! – continuou Rosário.

Embora vociferassem as irmãs Santana, Glorinha, viúva do saudoso Ezequiel, representava a alegria da cidade mansa e insossa, de paisagem monótona, vida empoeirada, sem brilho, sem cor, sem curvas. Era o deleite dos moleques desabrochando em masculinidade, dos senhores casados, dos velhos preguiçosamente sentados à sombra das amendoeiras. A bela cabocla povoava o imaginário coletivo, sobretudo dos homens, desde antes da morte de Ezequiel. E agora que tirara o luto fechado e voltara a desfilar pelas ruas da cidade, plena em formosura, exercia um fascínio ainda maior, ainda mais intenso, ao ponto de as irmãs Santana terem farejado um risco redobrado às famílias cristãs da cidade.

A origem de tamanha antipatia não estava, conforme os maliciosos julgavam, na diferença de atributos físicos que as punham em lados opostos. Pulquéria e Rosário jamais invejaram – e Deus é testemunha! – os muitos encantos da cabocla Glorinha, seu tom de pele acobreado, a fartura de carnes, a maciez dos cabelos pretos, os delicados olhos, o sorriso de dentes alvíssimos. Não ligavam para os olhares de desejo que recebia a sujeita, os galanteios que pipocavam onde quer que ela passasse, os ora discretos, ora petulantes assovios que os homens lhe endereçavam. Não eram mulheres de remoer inveja, despeito. Também elas tinham seus predicados. Ainda que não fossem tão jovens, tão carnudas, tão cheias de curvas e dobras quanto Glorinha, possuíam a fina elegância das mulheres de bem, o elã e o refinamento de que a viúva, definitivamente, não gozava. Embora fossem esguias demais, brancas em excesso pela falta de exposição ao sol, usassem o cabelo crespo eternamente preso num coque e o mesmo perfume de leite de rosas há anos, lutando as duas contra um buço insistente, e mesmo que nunca mostrassem mais que as canelas quando saíam às ruas e vestissem roupas sérias, sem decotes, nada disso diminuía seus predicados. Assim pensavam. E não estavam sozinhas àquela altura da vida, caminhando para os quarenta anos, por falta de interessados em desposá-las. Sustentavam que muitos pretendentes já haviam se candidatado, porém foram dispensados por não estarem à sua altura. Se assim se encontravam, solteiras, mas felizes nas graças de Deus, era por serem criteriosas, exigentes, por prezarem pela firmeza de atitude que se espera de mulheres tão bem-nascidas e tão bem-criadas. Os homens da cidade, contudo, quando as viam atravessar a praça, braços dados, olhos baixos, em postura de absoluto respeito e dignidade, costumavam resumir numa só palavra o motivo pelo qual, no seu entender, as irmãs Santana permaneciam solteiras:

– Tribufus!

Rosário e Pulquéria jurariam sobre a Bíblia, se necessário fosse, que não perseguiam nem tampouco desejavam mal à Maria da Glória. Deus era testemunha. Mas na condição de presidente e vice-presidente da Liga das Mulheres de Bem, cabia às irmãs Santana zelar pela moral e bons costumes, pelos princípios basilares da família e pelo apego à tradição naqueles difíceis tempos de perdição. Foram democraticamente eleitas para isso, investidas do poder conferido a elas pelas senhoras e senhoritas da cidade, a quem defendiam e defenderiam dos descarados, libidinosos, fornicadores, homens e mulheres dados à bebedeira, à luxúria, à maledicência e capazes de profanar, num piscar de olhos, a inocência de adolescentes mal saídos dos cueiros e a aliança de casais ungidos pelo divino sacramento do matrimônio. Travavam, pois, uma luta hercúlea à frente da Liga, no combate diário e incessante a todo aquele que, perdido em tentação, entregue ao pecado da carne e à concupiscência, ousasse violar os valores que ainda restavam e que, graças à sua santa cruzada, haveriam de permanecer existindo.

A Liga das Mulheres de Bem, baluarte da sociedade local, fora criada pela professora Dona Rinete Santana, já falecida, mãe de Pulquéria e Rosário. No Termo de Adesão e Compromisso, instituído três décadas antes, Dona Rinete fizera constar, como premissas da entidade, a "intransigente defesa dos valores cristãos" e a "incansável missão de iluminar os impuros, indo ao seu encontro, mostrando-lhes o caminho da redenção". Pulquéria e Rosário, no entanto, jamais foram ao encontro de Maria da Glória ou de quem quer que considerassem impuro. Pelo contrário. Temiam que um contato mais próximo lhes impingisse a nódoa do pecado. Exatamente por isso, por também zelarem pela própria reputação, limitavam suas ações aos discursos inflamados nas sessões da Liga, às terças e quintas, no Salão Paroquial cedido pelo padre Jeremias. Ali, protegidas do perigo, citando versículos bíblicos e trechos das narrativas acerca da vida dos santos, sobretudo daqueles que haviam trilhado um caminho de desvios, mas que pela fé e conversão reencontraram o rumo da virtude e da salvação, oravam fervorosamente pelas almas sem fé, irradiadas pelo maligno, não sem antes abastecerem as senhoras e senhoritas da Liga com os mais íntimos e escabrosos detalhes sobre a conduta de criaturas como, por exemplo, Maria da Glória.

A dita cabocla, natural da Baixa do Mutum, chegara àquelas paragens há pouco mais de um ano. E viera, conforme comentavam os clientes do armazém, para alegrar os últimos tempos de vida de Ezequiel. Católico praticante, temente a Deus, homem próspero e bem quisto, levava os dias em solidão desde a morte da primeira mulher, Dona Euzébia, vítima de um ataque causado pelas constantes e incontroláveis crises de soluço. Sem filhos, cada vez mais entristecido, murcho, restou a ele dedicar-se integralmente aos negócios do armazém que mantinha, o maior e mais bem sortido da região. Eis que o destino, apiedado, pôs diante dele Maria da Glória. Ela aparecera no armazém, pela primeira vez, na companhia da mãe e dos irmãos pequenos, família miserável de passagem pela cidade. Ezequiel engraçara-se pela cabocla imediatamente e, no intuito de demonstrar-lhe a simpatia instantânea, ofertara-lhe um corte de tecido para um vestido novo. As visitas ao armazém se repetiram, tempos depois, até o dia em que Ezequiel tomou coragem e pediu a moça em casamento.

– Sim, senhor. – disse ela.

– Está autorizado, sim, senhor. – reiterou a mãe.

Casaram-se em seguida. Viveram meses duma paixão explosiva. Eram vistos, aqui e acolá, num intenso romantismo. Fosse na janela da chácara onde moravam, no Morro da Cacunda, nos passeios pela rua ou no balcão do armazém, pouco lhes importavam a exibição pública, o falatório, o disse-me-disse das mulheres da Liga. Andavam abraçados, enganchados um no outro, trocando carícias, palavras açucaradas. Glorinha ensinou-o a preparar o bode na telha, iguaria típica do Mutum; ele, por sua vez, introduziu-a nos negócios do armazém, das contas promissórias, ativos e passivos. Não tardou à jovem esposa, esperta para números e cálculos, entender daquele universo tão bem quanto o próprio Ezequiel. A felicidade não durou muito, contudo. O casamento foi interrompido um ano depois de sacramentado. Ezequiel sofrera um colapso. Morreu no armazém, fulminado do coração, despencando por cima de prateleiras de biscoitos e pacotes de fubá de milho. Arrasada, Glorinha definhou. Vestida de preto, passou a viver trancada na chácara, isolada do mundo, num sofrimento que, se mais durasse, fatalmente também a levaria à sepultura. Recebia visitas somente do padre Jeremias, dos irmãos e da mãe. Era esta, aliás, quem tentava, sem muito sucesso, manter o armazém funcionando durante o luto de Glorinha. Os negócios não iam bem. Fornecedores sem receber, mercadorias apodrecendo, dívidas se avolumando. E foi a necessidade de retomar os rumos do comércio que fez a viúva se desfazer do luto. Certa manhã, para surpresa geral, reapareceu refeita, viçosa, plena da jovialidade que lhe era peculiar. Única herdeira do finado marido, rebatizou o estabelecimento, que passou a ser chamado Armazém de Ezequiel e Glorinha. Mandou prender um quadro com a foto do falecido acima do balcão e, dali em diante, assumiu, sozinha, o comando dos negócios.

Um escândalo para a cidade. Em verdade, um escândalo para a Liga das Mulheres de Bem. A cidade, mesmo, deleitava-se ao vê-la de volta às ruas, um regozijo de novidade naquela terra tão carente de bons assuntos. Ao vê-la passar rebolando, cheia de vida, os moradores recordavam-se do evento que foi, meses antes, o casamento de Glorinha e Ezequiel, desde a inesperada notícia da união até os convites para a festa, distribuídos livremente no balcão do armazém. Poucos foram os conhecidos que não compareceram à igreja do padre Jeremias e à festa oferecida por Ezequiel, homem sem mesquinharias, que mandara matar boi e carneiros para o regabofe em comemoração à troca de alianças. Até as irmãs Santana lá estiveram, discretas em seus vestidos negros, exibindo ares de satisfação, desejando felicidade. Foram, conforme explicaram depois na sessão da Liga, apenas pelo fato de serem as presidente e vice-presidente da entidade. Não seria de bom tom declinar do convite do importante comerciante. E lá puderam observar em pormenores os detalhes do comportamento de Glorinha. Notaram como eram altas e escandalosas as suas gargalhadas, como remexia o corpo provocante, além de terem se certificado da intimidade com que se dirigia aos convidados, rindo-se gostosamente dos elogios que recebia. Saíram do Morro da Cacunda com uma certeza, compartilhada depois com as demais integrantes da Liga: o pobre Ezequiel havia desposado, Deus lhe perdoasse, uma quenga!

Glorinha pouca importância dava às irmãs Santana e à Liga das Mulheres de Bem. Ria-se, pelo contrário, do falatório a seu respeito, dos mexericos sobre sua conduta. Viera da Baixa do Mutum, passara fome, sede, privações de todo tipo; tirara a grande sorte de conhecer e ser desposada por homem tão bom, tão carinhoso. Por que haveria, pois, de chatear-se? Ela e Ezequiel debochavam dos comentários. E debochavam, inclusive, das próprias irmãs Santana, quando a dupla aparecia no armazém para as compras do mês. Certa feita, tendo decidido provocá-las, Ezequiel enrubesceu Pulquéria e Rosário ao perguntar-lhes de chofre:

– Já pensaram em procurar uma manjuba ao invés de meterem-se com a vida alheia?

O que ele e ninguém desconfiava, nem mesmo Pulquéria, era que a resistência de Rosário à Glorinha assentava-se num incontrolável ciúme. A mais velha das irmãs Santana apaixonara-se pelo comerciante. Amava-o em silêncio há muitos anos. Antes de Ezequiel casar-se com a primeira mulher, Dona Euzébia, Rosário chegou a fazer-lhe discretas insinuações, seguidas tentativas de aproximação sob o pretexto de passar livros de ouro para as festas da igreja. Noutras ocasiões, havia feito questão de convidá-lo pessoalmente para as quermesses e para a oração do Terço dos Homens. Nenhum expediente, porém, logrou efeito. Ezequiel simplesmente não a enxergava. Depois do casamento com

Glorinha, então, as chances já remotas findaram-se de vez. E agora que estava morto, enterrara-se com ele a esperança de realizar-se ao lado do único homem a quem amou. Por isso, ao ver Glorinha desfilar novamente pela Rua do Mijo, livre do luto e da tristeza, transformada em proprietária de comércio próspero, sambando suas grandes ancas a caminho do Armazém de Ezequiel e Glorinha, os olhos de Rosário inchavam-se de rancor.

– Quenga! – repetia.

O fim do luto de Glorinha coincidiu com um incidente cujos desdobramentos mudariam, para sempre, a vida das irmãs Santana. Partes da lateral da igreja e do teto do Salão Paroquial desabaram durante um vendaval de fim de tarde. As sessões da Liga foram transferidas para a casa de Pulquéria e Rosário, enquanto os reparos eram feitos. O padre Jeremias contratou os serviços de Damião, mestre de obras dos mais capacitados. Pedreiro espadaúdo, forte feito touro, percorria a região consertando sacristias, torres, nichos. E levava consigo, a depender do tamanho e da urgência da obra, três ou quatro ajudantes. Como tivessem pressa em retomar as atividades da Liga no Salão Paroquial, Pulquéria e Rosário decidiram supervisionar os trabalhos de perto. Chegavam cedo e saíam no fim do dia. Cobravam agilidade no preparo da massa, na colocação das vigas, aduelas, reboco e na pintura das paredes. Os ajudantes já não suportavam a presença das duas a cacarejar ordens, determinações de todo tipo, opinando e se intrometendo naquilo que não conheciam. O mais novo deles, Ozorinho, torcia o nariz, fazia gracejos, imitava o movimento das asas duma galinha quando as irmãs davam as costas.

Mestre Damião, por sua vez, somente ria. Divertia-se com a intromissão das Santana, com o tom imperativo das suas palavras. Explicava-lhes pacientemente a natureza do trabalho, que exigia mais tempo que o habitual. Ora, tratava-se de obra delicada, minuciosa, um restauro cujo acabamento deveria ser fiel às instalações originais. Às voltas com as irmãs, cercado por elas, dia a dia, ouvindo suas queixas, suas reprimendas, Mestre Damião, sem saber em que momento isso se dera, acabou por se encantar pela mais nova delas. Pulquéria era diferente da irmã, assim ele imaginava. Menos ácida, menos mandona. Ralhava, é verdade, mas trazia nos lábios finos, mesmo que tentasse disfarçar, o que a ele parecia um leve e matreiro sorriso. Mestre Damião notou, logo de início, o esforço de Pulquéria em copiar os gestos, as palavras, o comportamento de Rosário, mas quando estava afastada dela, sem a influência direta da irmã, lembrava outra mulher, até mais formosa. O mestre de obras pegou-se a imaginar Pulquéria sem aqueles cabelos presos em coque, sem os vestidos que lhe desciam até a canela, quem sabe até escondendo certas belezas. O gigante pedreiro tentava adivinhar o toque daquelas mãos alvas, finíssimas, tão diferentes das dele, pretas, calejadas, enormes. Enquanto ela falava – a vozinha mansa e quase infantil – Mestre Damião distanciava-se de qualquer outro pensamento que não o de um desejo nascente; fingia aproximar-se dela sob o pretexto de escutar mais atentamente o que dizia; mas, em verdade, queria sentir seu hálito morno, o cheiro de leite de rosas que brotava dos cabelos, das roupas, talvez do sexo, e parecia fazer parte dela. Era uma fragrância característica que embebedava o operário acostumado aos aromas fortes das mulheres com quem se relacionava na rua, nos bordéis, nos forrós. Não era, aliás, homem de muitas exigências quando o assunto envolvia mulher; gostava de todas, sem exceção, desde que cheirosas, perfumadas, de hálito gostoso. E o de Pulquéria inebriava Mestre Damião, invadia suas grossas narinas e acabava por enfiar-se em seus pensamentos, de tal maneira que ele passou a aguardar, ansioso, a chegada das irmãs ao canteiro de obras montado ao lado da igreja. Esperava ver Pulquéria dobrar a esquina, subir os degraus e plantar-se diante dele, com o rosto fechado imitando a irmã, para logo depois, afastada dela, abri-lo num sorriso cada vez menos tímido, cada dia mais natural. Mestre Damião sabia que poderia estar errado; mesmo que a longa experiência com mulheres lhe habilitasse a enxergar, sem dificuldade, os sinais que as mais escabreadas costumam lançar quando querem demonstrar interesse, ainda assim ele podia estar equivocado quanto aos sorrisos que recebia de Pulquéria, às piscadelas, os meneios de pernas, ao nervoso sacudir das barras do vestido. Mas, mesmo que corresse o risco de ter-se confundido com o que lhe parecia claros sinais de interesse, Mestre Damião decidiu apostar na intuição. Era homem suficiente para arriscar. E arriscou. Começou com galanteios sutis, elogios à discreta formosura, à conduta séria, ao porte elegante. Seguiram-se, então, as gentilezas: cravos e margaridas disfarçadamente ofertados quando a irmã não estava por perto. Os mimos iam aumentando à medida que a obra na igreja e no Salão Paroquial avançava: um escapulário de Nossa Senhora do Carmo, um breviário de orações, um terço com miçangas coloridas. E ainda houve um anel dourado, falso, não se podia negar, mas com uma imagem do Cristo Crucificado, que Pulquéria recebeu com alegria estampada no rosto, a essa altura já sem qualquer indício de sisudez ou resistência. Em retribuição, confirmando as suspeitas de Mestre Damião, a irmã Santana lhe trazia compotas de doce de jaca, balinhas de jenipapo, ambrosia; também se oferecia para costurar, caso desejasse, a bainha da calça ou pregar o botão da camisa surrada. Dois meses depois, quando a obra, enfim, terminou e os operários foram dispensados pelo padre Jeremias, Pulquéria convenceu a irmã de que também elas precisavam de reparos urgentes no teto da cozinha, já bem prejudicado pelo tempo, para estarem protegidas na hipótese de um novo vendaval atingir a cidade. Desse modo, além de realmente mais segura, Pulquéria poderia gozar da companhia de Mestre Damião ainda por algumas semanas. E foi numa dessas semanas, durante a sesta da qual Rosário não abria mão, que Pulquéria e Mestre Damião tocaram-se pela primeira vez. Um delicioso arrepio percorreu seus corpos, principalmente o dela. Era, afinal, a primeira vez que um homem se aproximava de Pulquéria e com tamanha intimidade. A partir daquele momento, já completamente apaixonada, deixou-se tocar outras vezes; então conheceu o abraço de um homem, o beijo de um homem, o calor do corpo de um homem. Entregou-se, enfim. Depois outra vez. E mais outra. Quanto mais se entregava ao rijo Damião, ao latejante Damião, mais ela desejava tê-lo novamente, e de outras formas, de outras maneiras, não apenas no quartinho dos fundos, perto do quintal, mas também no banheiro, atrás do galinheiro, na despensa, na cama de solteira, agora pequena demais.

Rosário não desconfiou em absoluto – até o dia em que, surpreendentemente, Pulquéria apareceu na sala com os cabelos soltos e um vestido curto para os padrões da família. O mundo desabou sobre a casa das irmãs Santana. Foi a primeira vez que discutiram e tão fortemente que, em determinado momento, Rosário fechou as janelas para que os vizinhos mexeriqueiros não ouvissem a inflamada discussão. A mais velha das Santana, e por isso mesmo a maior responsável por zelar pela reputação de ambas, exigia saber o motivo daquela mudança repentina na aparência. Não houve resposta. Pulquéria não lhe contaria nada porque nada havia para ser contado. Apenas decidira mudar o jeito de vestir-se e pentear-se. Mal algum havia nisso.

– Como não há? O que vão dizer na Liga? O que vão pensar na cidade? – esbravejava Rosário.

Pulquéria, então, agiu como jamais fizera até ali: deu as costas à irmã e a deixou falando sozinha. Não foi a única atitude de rebeldia. Naquela terça-feira, ela não apareceu na sessão da Liga. Nem nas terças e quintas-feiras seguintes, obrigando Rosário a justificar a ausência da irmã com sucessivas mentiras. As desculpas, porém, se sustentaram por pouco tempo. Pulquéria fora flagrada por Dona Rita e pela filha Augustinha, associadas da entidade, passeando pela praça no horário das reuniões. Dodó Periquita viu-a lendo um breviário de orações sob as frondosas amendoeiras da Rua do Mijo. As senhoras e senhoritas da Liga se assustaram com a mudança no comportamento de Pulquéria. Cobravam explicações a Rosário.

– O que há com ela? Anda muito estranha... – alfinetou Sinhá Eugênia.

Pulquéria estava realmente mudada. Mas não só em razão das novas roupas ou do novo penteado, ou mesmo do carmim que, para desespero de Rosário, passara a usar no rosto. Agora era vista sorrindo, suspirando; passou a cumprimentar pessoas na rua; sentava na calçada para espiar as crianças brincando. Desabrochara uma nova Pulquéria. Certa feita, aproveitando uma das idas ao Armazém de Ezequiel e Glorinha, pediu à proprietária do estabelecimento cópia da famosa receita do bode na telha.

– É para uma pessoa especial – explicou Pulquéria entre risos.

– Tua irmã? – Glorinha quis saber.

– Nada!

Gargalharam as duas. Dias após esse episódio, a inabalável reputação da família Santana começaria a ruir. Sob olhares de incredulidade, Pulquéria atravessou a praça de braços dados com Mestre Damião e os dois, visivelmente apaixonados, foram comunicar à Rosário que iriam se casar em breve.

– Estou grávida. – Pulquéria disparou.

Rosário caiu doente. Foram sete dias de cama, período em que o "escândalo da família Santana", como se referiam na cidade, acalorou discussões nas ruas, na praça, nos bares e botecos, nas casas de família, na igreja. No bar de Doca Dôido, alguns clientes apostaram dinheiro, certos de que Rosário expulsaria a irmã libertina de casa. Outros acreditavam que a mais velha das Santana, em nome da moral e dos valores que tanto prezava, aceitaria embaixo do mesmo teto a irmã libertina, o cunhado pedreiro e o fruto daquele amor que estava por vir. Ainda enferma, debilitada, Rosário permanecia alheia ao disse-me-disse. Só se levantou do leito para receber as senhoras e senhoritas da Liga das Mulheres de Bem. Uma comitiva foi comunicar-lhe a destituição dela e da irmã Pulquéria da presidência e vice-presidência da entidade, agora capitaneada por Santa Encarnação e Dolores Cajazeira. A nova mesa diretora, eleita mediante assembleia extraordinária, entendera que as irmãs Santana, embora descendentes da "inatingível" fundadora da Liga, haviam descumprido o Termo de Adesão e Compromisso, que impunha uma "conduta impoluta e exemplar". Pulquéria perdera o cargo por causa dos "últimos acontecimentos que envolviam o nome dela e que maculavam a imagem da respeitada Liga". Rosário fora punida "por ter omitido fatos de tamanha relevância e gravidade" às demais associadas. Além de terem perdido os cargos, as irmãs estavam proibidas de participar das sessões da Liga, mesmo como ouvintes, e assim permaneceriam, conforme também previa o estatuto, durante três meses, até que as senhoras e senhoritas da entidade voltassem a debater a possibilidade de reintegração numa nova assembleia.

As irmãs, porém, não retornaram à Liga. A repercussão do escândalo lhes incapacitou absolutamente para a retomada das funções na entidade. Pulquéria e Damião se casaram dias depois do comunicado feito a Rosário. O padre Jeremias realizou a cerimônia para quinze pessoas apenas, entre elas Ozorinho e os demais pedreiros de Mestre Damião, a própria Rosário, ainda adoentada, e Maria da Glória, uma das convidadas de Pulquéria. Marido e mulher foram morar na casa das Santana. Lá ficariam até que o bebê nascesse. Enquanto isso, o pedreiro adiantaria a construção de uma casa para eles num terreno comprado para os lados da Rua da Cabaça. Desde o momento em que Pulquéria lhe falara sobre a gravidez e o casamento, e após ter recebido a visita da Liga das Mulheres de Bem, Rosário afundou-se em si mesma. Mantinha-se calada a maior parte do tempo. Não fazia perguntas nem queixas e sequer lamentava o fato de a irmã ter jogado o nome da família na lama, tendo sido a responsável pela expulsão de ambas da Liga. Já não dava importância ao falatório na cidade e aos muitos dichotes, como o que dizia que a finada professora Dona Rinete estaria se revirando no túmulo ante a vergonha que se abatera sobre a família dela. Rosário parecia anestesiada. Parecia ter-se transformado noutra pessoa. Não era, em definitivo, a Rosário que todos conheciam. Não frequentava mais a igreja. Em casa, movia-se num silêncio quase total, como se não desejasse ser notada. Evitava a irmã e o cunhado. Deu para fazer as refeições no quarto, a porta fechada, e recolhia-se cedo à cama.

Tudo mudaria meses depois, com o nascimento de Paulina, a filha de Pulquéria e Mestre Damião. Um milagre operou-se na casa, trazendo luz ao lugar que, desde os últimos acontecimentos, lembrava o mausoléu das Santana. Rosário, como que tocada por um sentimento desconhecido, deixou-se envolver nos cuidados com a criança; ajudava a irmã no asseio, acalentava a sobrinha nos momentos de choro e fazia questão de niná-la na hora de dormir. Apegou-se de tal modo à sobrinha que, quando a casa construída pelo cunhado na Rua da Cabaça finalmente ficou pronta e Pulquéria e Damião anunciaram a mudança para breve, ela implorou aos prantos para que não levassem Paulina embora. Diante da insistência de Rosário, o casal decidiu postergar a partida.

Certa manhã, vinda do Armazém de Ezequiel e Glorinha trazendo as compras do mês, Pulquéria encontrou a irmã morta. Rosário estava encolhida na cama, o rosto virado para Paulina, que dormia junto à tia. A defunta trazia um dos peitos fora da combinação. Lembrava uma mãe que acabara de amamentar. Também usava um vestido colorido que pertencia à irmã. Pulquéria se aproximou para tomar a filha nos braços. Foi quando notou que Rosário tinha os cabelos soltos, sem o coque costumeiro, e um pouco de carmim nas maçãs do rosto. A surpresa maior, entretanto, veio ao encostar a defunta na cabeceira da cama. Embaixo do vestido, escondida, uma antiga fotografia do finado Ezequiel.

VIVER
E
MUITO

A pessoa é para o que nasce

Sebastião estava tranquilo. Sentado diante de casa, as pernas estiradas, usava sua melhor roupa: calças de cambraia, uma camiseta de cetim e as botinas que ganhara de presente do neto. Havia posto um resto de brilhantina nos cabelos grisalhos e, sobre eles, colocado o largo chapéu de palha. Vestido como nos dias em que costumava ir à missa com a mulher, nas manhãs de domingo, o lavrador descansava o corpo num banquinho de madeira; noutro, bem ao lado, à curta distância das mãos, estava a carabina devidamente carregada. Era a única companhia naqueles momentos de absoluta solidão. Margarida, a esposa, continuava acamada. Caíra doente no dia anterior, depois de o oficial de justiça ter ido embora ameaçando voltar com a polícia.

Apesar do clima de expectativa, não havia no ar o menor sinal de ansiedade. Os olhos de Sebastião fixavam a rua, um estreito caminho de barro que começava na entrada do Vaza Barris – povoado antes barulhento e cheio de vida, e agora completamente deserto – e chegava à casa dele, uma das últimas do arruado. Daquele ponto exato surgiria o oficial de justiça acompanhado pelos policiais. O lavrador mantinha num canto da boca, boiando, um cigarro de fumo de corda já quase apagado. Era um passatempo. Vez por outra lançava longas baforadas. A fumaça de cheiro forte envolvia o rosto queimado do sol, desfazendo-se no vazio.

Daquele jeito, pois, arrumado e sem pressa, pitando cigarro e contemplando a tristeza do povoado em volta, Sebastião resistiria até o último instante. Havia decidido: somente morto deixaria as terras que foram dos avós e dos pais e, agora, eram suas. E que seriam do neto, não fosse a traição dele, sangue do próprio sangue, um golpe duro demais para ser perdoado. Ali permaneceria plantado, armado, disposto a matar e a morrer. Não adiantaria mostrarem-lhe novamente o documento do juiz ordenando sua saída; tampouco lograria êxito o aparato policial para retirá-lo à força. Sebastião só deixaria aquele pedaço de chão, o chão dos seus antepassados, se abatido fosse. Teriam que derrubá-lo. Mas até que isso acontecesse, continuaria firme, duro, resistente. A carabina ali estava para ajudá-lo.

O jeito turrão, irredutível, era característica própria de Sebastião. Dona Engrácia, sua falecida mãe, costumava dizer que o filho vingou por pura teimosia. Em sete gestações, fora o único rebento a sobreviver. Os outros pereceram na barriga ou alguns meses depois de paridos. Todos, sem exceção, levados pela falta de médicos e remédios em tão remoto pedaço de sertão, onde a valência era Deus agindo pelas mãos das parteiras. Quando a assistência médica chegava ao Vaza Barris, mais tarde, no lombo de um jumento, os anjinhos estavam mortos e enterrados. Vencer a morte fora, portanto, o primeiro grande desafio de Sebastião. Mas outros se impuseram ao longo desses cinquenta anos lavrando a terra. Incontáveis desafios. Provações. E a maior delas estava por vir.

Era ele, ao lado de Dona Engrácia e do pai Rubião, também falecido, quem arava, roçava o chão seco, capinava o mato tostado, plantando e colhendo quando a chuva assim permitia para, logo depois, voltar a cultivar a mandioca, o milho, as batatas-doces, o inhame; cabia a Sebastião a tarefa de colher as mangas, as abóboras, as melancias, os chuchus, vigiando as galinhas poedeiras, as cabras, uma ou outra cabeça de vaca; também ele reunia o excedente, quando havia, para vendê-lo aos sábados na feira da cidade, Belo Monte, distante trinta quilômetros do Vaza Barris, apurando, deste modo, o dinheiro que seria usado na compra de mais sementes, veneno para as bicheiras dos animais, o sal do gado, sem esquecer dos mantimentos para a casa, uma peça de requeijão, uma botina nova por ano, as velas para o oratório de Santa Bárbara, os cortes de tecido para as roupas que Dona Engrácia costurava à luz do candeeiro.

Quando conheceu Margarida e com ela se casou, no finalzinho da adolescência, viu as despesas e o trabalho aumentarem. Sebastião, porém, gostava daquela vida. Trabalhar era a distração do lavrador, tão desprovido de divertimentos. Vez ou outra, um forró, um rala-bucho, uma festa para espairecer a mente, desanuviar as ideias, sacudir o esqueleto. Na Passagem da Gia, as terras do coronel Adustino, beira do Rio Grande, dia de Santa Bárbara era festejado desde o amanhecer até o pôr do sol. Todo o povoado convidado, uma festança de dar gosto, com comida e bebida fartas, sanfoneiros se revezando no fole e a incrível queima de fogos! Não havia espaço no terreiro para tantos visitantes, as caravanas que chegavam a pé, de jegue, nas carroças; vinha gente do Belo Monte, das Amoreiras, do Quipá, Lagoa Grande, Mourão, das Sete Lagoas, Água Torta, e mesmo de longe, do Rodeadouro e da Canabrava. Época boa, de dezembro, quando o tempo das águas se avizinhava, o calorão diminuía e o vento frio do fim de tarde, gostoso, anunciava para breve o primeiro pé d'água. Por isso mesmo, época de pegar firme na enxada, no arado, de preparar o chão que seria semeado tão logo desabasse a chuva.

E foi num mês de dezembro, quando a terra já estava semeada, que Antônia Emerenciana veio ao mundo. A filha de Sebastião e Margarida ganhou esse nome, por iniciativa do próprio lavrador, em homenagem à avó dele, Emerenciana Rogácia do Amor Divino, mãe de Dona Engrácia. Ainda menino, Sebastião acostumara-se a ouvir as histórias de bravura da avó, heroína da já distante Guerra de Canudos. Dona Engrácia contava-lhe que, naqueles idos tempos, quando os sertanejos marchavam em grandes levas na direção de onde estava Antônio Conselheiro, para lá também seguiram Emerenciana Rogácia e os homens da família dela. Foram pelas promessas de vida melhor, menos sofrida, de terra para plantar, colher, criar os filhos, louvar a Deus. Retornariam mais tarde, para buscar os demais, ou quando pudessem implantar no Vaza Barris o mesmo justo modelo de usufruir a terra que todos esperavam encontrar em Canudos. Viveram eles um sonho coletivo, um desejo firme de que, lá chegando, tudo seria diferente. E de fato foi. Mas por algum tempo. As tropas do exército republicano avançaram contra o arraial do Conselheiro e o sonho coletivo, no fim, acabou por não se realizar. Porém, os que lutaram ao lado do Conselheiro, como Emerenciana Rogácia do Amor Divino, o fizeram por acreditar firmemente no sonho da Terra Prometida defendido pelo beato. Dona Engrácia emocionava-se ao narrar os feitos da mãe nas trincheiras de Canudos. Teria empunhado muitas armas e lutado, inclusive, no corpo a corpo, matando soldados na ponta do ferro. Morrera alvejada no peito por um deles, nos combates finais, ao vingar com toda a fúria de ódio o assassínio do santo Conselheiro. Engrácia, que na ocasião era recém-nascida, ficara ali mesmo, no Vaza Barris, ao lado das tias velhas, e, quando meninota, delas ouviu inúmeras vezes os detalhes daquela história, a história da heroína Emerenciana Rogácia do Amor Divino, sua mãe, avó de Sebastião, bisavó de Antônia Emerenciana.

    O tempo corria tão lentamente no sertão do Vaza Barris que foi surpresa para Sebastião e Margarida o pedido de casamento recebido por Antônia Emerenciana. Só naquele dia, em verdade, pai e mãe se convenceram que a filha, de fato, havia crescido e estava pronta para se casar. E assim Antônia Emerenciana foi desposada por um colono próximo, Rubenito dos Carajás, dono de bom pedaço de terras, criador de cabras e ovelhas e proprietário dum pequeno açougue em Belo Monte. Antônia Emerenciana e Rubenito dos Carajás tiveram, também eles, um único filho, Rubens, o Rubinho, a alegria da família, especialmente de Sebastião. Cresceu ao lado do avô, aprendendo tudo sobre a terra, a lida, o amor ao chão e ao que dele brotava. Era esperto; compreendia rapidamente os ensinamentos de Sebastião e a ele se afeiçoara de modo particular. Tanto que, quando Rubenito dos Carajás vendeu terras e criações e foi morar com Antônia Emerenciana em Belo Monte, Rubinho insistiu que ficaria ao lado do avô. Passou-se dessa maneira. O moleque permaneceu no Vaza Barris ajudando Sebastião e Margarida. Cresceu forte, saudável, tão apegado à roça quanto o próprio avô. Melhor diversão não havia que acompanhá-lo bem cedinho, na inspeção diária aos currais, tirando leite de vacas e cabras, recolhendo os ovos das galinhas, molhando as plantas. Ansiava pelos dias em que se meteria na caatinga com Sebastião à caça de nambus, ou quando passariam horas às margens do Rio Grande, pescando e nadando, sem nenhum outro compromisso, sem qualquer preocupação; eram momentos de inteira alegria, de uma felicidade miúda, descuidada, plena em simplicidade. Havia desenvolvido um profundo amor àquela vida. Aprendera a reconhecer os sinais do tempo, da chuva, da estiagem; identificava de imediato os pássaros de cada estação, seu canto, seu ronco; não confundia o sibilar das cobras e reconhecia pelo rastro a espécie de cada uma delas. Também apreciava os cheiros da natureza em volta: chuva, flores, animais, barro amassado, estrume, lenha queimando no fogão onde Margarida preparava os doces de carambola e o café, cujos aromas subiam pela chaminé e impregnavam o ar.

Mas quando a idade de ir para a escola chegou, Rubinho partiu para Belo Monte. Não sem muito protesto e esperneio. Deixar o Vaza Barris era por demais doloroso. Via-se o sofrimento em seu rostinho, o pranto sufocado na garganta, os olhos vermelhos. Rubinho, entretanto, sofreu menos que o avô. Tamanha era a tristeza de Sebastião que o lavrador parecia ter perdido o neto, um pedaço de si, talvez o melhor que possuísse. Sentia-se estranhamente órfão, abandonado, solitário. Levava os dias cabisbaixo, sem ânimo, sem vontade, desleixado com a lida na terra. Margarida repreendia-o:

– O menino vai para a cidade aprender. Vai ter os estudos que a gente não teve. Vai ser homem grande!

Sebastião não estava convencido. Argumentava que o neto poderia ser um homem grande ali mesmo, no campo, lavrando, semeando, colhendo.

– Ora! Deixa de pensar pequeno! O menino pode ser doutor! – ralhava a mulher.

Rubinho fez os estudos primários e secundários em Belo Monte. Nas férias, enfiava-se no Vaza Barris e do avô não desgrudava. Nem ele do neto. Cada nova partida significava um novo sofrimento. No início, Sebastião e Margarida visitavam-no com certa frequência, dois ou três dias em Belo Monte, mimando-o, fazendo-lhe as vontades. Eram momentos de intensa alegria para avô e neto, sempre juntos, apegados, enganchados, felizes. Um problema, contudo, apareceu: aproveitando-se da ausência dos donos, ladrões de galinhas deram para invadir a roça e o poleiro do Vaza Barris. Roubaram as melhores poedeiras. Também levaram dois leitõezinhos e uma cabra recém-parida. As idas a Belo Monte tiveram que ser encurtadas. Duravam, agora, um dia apenas. Desse modo, sem que percebessem, Sebastião e Rubinho foram se afastando um do outro. Viam-se em poucas ocasiões.

Na adolescência, assim que os estudos secundários foram concluídos, Rubinho partiu para a capital. Rubenito dos Carajás matriculou-o na Escola de Agrimensura. Para lá eram mandados os filhos dos belomontenses com relativas condições financeiras. O propósito maior, além dos estudos em escola renomada, era fazer com que trouxessem para casa o "diploma de doutor" e, assim, orgulhassem a família e a cidade. Existia, em verdade, uma competição entre os pais, cada qual exibindo os boletins dos filhos, no fim de cada semestre, à apreciação dos amigos em bares e botequins.

Rubinho moraria no pensionato de Dona Hildegardes, uma moça velha a quem os pais dos estudantes confiavam seus filhos mediante significativo pagamento mensal. O jovem enviava cartas à família regularmente. Contava detalhes da vida na cidade grande, dos estudos, dos professores; estava entusiasmado com as novidades, um mundo novo a conhecer, a desbravar. Sentia falta de todos – especialmente do avô. Escrevera certa vez a ele: "O senhor ficaria de queixo caído com tudo o que a ciência pode nos ensinar, Vovô, e como pode ajudar a melhorar a vida no campo."

Sebastião parecia pressentir a profunda mudança em marcha no comportamento de Rubinho. As palavras difíceis, bem escritas, com letra caprichosamente desenhada, e o tom imperativo, professoral, um tanto arrogante. Margarida se orgulhava:

– Jeito de doutor!

A frequência das cartas começou a diminuir a partir do dia em que Rubinho conheceu os novos companheiros de pensionato e escola. Leocádio e Atanagildo, veteranos na Escola de Agrimensura, apresentaram ao jovem inexperiente tudo quanto a capital oferecia, que estava além dos livros e cadernos e longe dos olhos desconfiados de Dona Hildegardes. Rodas de samba, noitadas regadas a vinho barato, mocinhas namoradeiras. Também tomaram parte na Lira dos Poetas, no Grêmio Estudantil e no Movimento Popular dos Estudantes. A cidade revelava-se doutra maneira para o rapaz saído do Vaza Barris. Uma cidade de possibilidades inúmeras, universo a ser explorado em cada um dos seus incontáveis atrativos.

Diferentemente de Leocádio e Atanagildo, farristas por natureza e que pouco ou nada estudavam, Rubinho soube conciliar as incursões pela cidade com o bom transcorrer do curso. Não demorou a se destacar entre os colegas e a superá-los. O excelente desempenho nas aulas e as notas sempre acima da média renderam-lhe o convite para participar duma seleção de estágio na Subsecretaria Estadual da Agricultura. Passou em primeiro lugar. Na qualidade de auxiliar de agrimensura, recebendo um modesto ordenado mensal, Rubinho tomou parte nalguns projetos voltados para a agricultura e a pecuária em regiões remotas do estado. Conheceu e se aproximou de pessoas importantes, como o subsecretário Teófilo Dias, de quem conquistou estima e confiança. Foram três anos na função. Os estudos na Escola de Agrimensura terminaram e o estágio na Subsecretaria Estadual da Agricultura também. O trabalho desenvolvido na repartição e o bom relacionamento com Teófilo Dias, garantiram-lhe um novo emprego. Rubinho assumiu, por indicação do próprio Dias, o cargo de Técnico em Agrimensura, com salário condizente, uma pequena sala e até linha telefônica exclusiva.

Em Belo Monte, a notícia foi ruidosamente festejada por Rubenito dos Carajás e Antônia Emerenciana. Tornara-se o assunto principal na cidade. No Vaza Barris, Margarida acendeu velas em agradecimento à Santa Bárbara. Sebastião, por seu turno, não parecia feliz. Tanto que, ao contrário dos demais, demonstrou pouco interesse pela novidade. Algo lhe dizia, no íntimo, que aquele cargo agora tão celebrado acabaria por precipitar, em algum momento, acontecimentos terríveis na família. Pressentimento sem motivo concreto, sem uma razão objetiva, uma espécie de aviso que lhe roubava sono e paz. Desde que Antônia Emerenciana rompera no povoado, saltitante, para lhes trazer a última carta de Rubinho informando-os sobre o cargo de técnico, foi-se embora o sossego de Sebastião.

Na capital, pouco tempo após ocupar a cadeira de Técnico em Agrimensura, Rubinho deixou as funções para acompanhar Teófilo Dias num novo e desafiador projeto. Destituído do cargo na pasta da Agricultura, Dias assumiu a Diretoria de Obras contra a Seca, ligada à Secretaria de Obras e Infraestrutura. Ficaria responsável, a partir dali, pela implantação de represas e barragens no semiárido, de modo a estimular a produção irrigada nas comunidades mais castigadas pela estiagem. Era uma diretoria estratégica para o governo, por causa do volume de recursos e dos dividendos políticos que as obras resultariam. O agora Diretor de Obras contra a Seca montou uma equipe de engenheiros e técnicos para inspecionar as áreas a serem impactadas pelo Programa Estadual de Barragens e definir as comunidades que receberiam represas e barragens. Rubinho não só se juntou à equipe como conseguiu persuadir Teófilo Dias a visitar a cidade de Belo Monte, inicialmente fora dos planos do diretor. A região de onde viera, nas palavras do próprio Rubinho, era cortada pelo caudaloso Rio Grande, e também ela sofria duramente os efeitos das longas estiagens. E por estar Belo Monte numa microrregião altamente adensada, com elevada concentração populacional, talvez fosse o caso de Teófilo Dias estudar a viabilidade de implantar ali uma das suas barragens.

O assunto foi longamente discutido entre Teófilo Dias, o prefeito de Belo Monte, Ulisses da Ema, e lideranças políticas da região, todas elas, sem exceção, gratas aos argumentos e à interferência do jovem Rubens dos Carajás em favor da cidade natal. Findadas as audiências, o diretor mostrou-se interessado em incluir a cidade nos estudos de viabilidade técnica, indispensáveis para o parecer final. Dois meses depois, tendo recebido os relatórios preliminares dos engenheiros, decidiu-se por sugerir ao secretário de Obras e Infraestrutura a colocação da cidade no Programa Estadual de Barragens. A sugestão de Dias foi aceita pelo secretário e celebrada com grande regozijo em Belo Monte. Iniciaram-se, então, os trabalhos de implantação. Seriam treze represas e barragens em pontos distintos do semiárido. As obras seriam executadas simultaneamente – desde a Barragem da Mombaça, no curso do Rio Comprido, até Belo Monte, com o represamento das águas do Rio Grande. A confirmação da obra, um pleito antigo das autoridades locais, foi destaque até nos jornais da capital. Rubinho virara, aos olhos do povo belmontense, um defensor da cidade e dos seus interesses, merecedor dos mais sinceros elogios, agradecimentos e reconhecimento público. Não fosse por ele, por seus envolvimento e compromisso com a região onde nascera, tenaz na condução das negociações, Belo Monte dificilmente encontraria lugar nos projetos do governo. Talentoso e promissor, alcançara a mais elevada posição entre os filhos da terra.

Ninguém, exceto Sebastião, parecia duvidar da legitimidade dos propósitos de Rubinho. O menino nascido e criado no Vaza Barris, estudante de agrimensura e, hoje, braço direito do Diretor de Obras contra a Seca, havia se tornado um homem de grandes ideias, de planos modernos. Queria transformar o sertão num lugar melhor, economicamente viável, humanamente mais justo. Imbuíra-se de um espírito progressista. E em tudo via possibilidade de mudança: além das barragens, que levariam água aos rincões mais secos e isolados, através de grandes canais caatinga a dentro, planejava uma revolução social com o fortalecimento da cadeia produtiva, por meio de investimentos na criação de muares, caprinos e ovinos, da fruticultura, da implantação das cooperativas e associações de agricultores. Acreditava verdadeiramente em tudo isso e, durante as conversas com Teófilo Dias e Ulisses da Ema, no calor das discussões, brotara nele um desejo de fazer mais, de ir além, de agir mais diretamente em favor dos seus conterrâneos.

– Foi mordido pelo bicho da política! – brincava o prefeito.

Ainda que não tivesse manifestado abertamente esse desejo, tudo levava a crer que essa era a vontade de Rubinho. Prova disso, ao que se viu a partir dali, foi um crescente tom populista no jeito de falar, uma inclinação para o discurso, rebuscando a oratória com palavras fortes, garbosas, frases de grande efeito que impressionavam desde o prefeito até o mais simples lavrador. No Vaza Barris, quando lá estivera ciceroneando a equipe de Teófilo Dias, Rubinho e os "doutores", como insistia Margarida, foram recebidos pelo povo com festa e queima de fogos. Afinal, iriam comunicar aos moradores locais a chegada da barragem do Rio Grande e, se Deus assim permitisse, o fim das agruras impostas pela seca. Rubinho abraçou Sebastião sem muito entusiasmo. Um estranho que acompanhasse o reencontro de avô e neto, tantos anos depois e antes tão intimamente unidos, talvez diria se tratar de dois desconhecidos, tão impessoal tinha sido aquele abraço. Havia pouco tempo para demonstrações afetivas. O atarefado Rubinho subiu e desceu o Vaza Barris, chegou às terras do coronel Adustino, indo das Amoreiras até Água Torta. Parava aqui e acolá; dava detalhes, trazia dados sobre clima, vegetação, solo, sobre o curso d'água, fazendo cálculos aproximados a respeito dos impactos que a obra traria muito em breve. No fim da tarde, partiram todos eles com a promessa de comunicarem, assim que tivessem a informação, qual seria o ponto exato onde o Rio Grande seria represado, bem como o dia e a hora em que as máquinas chegariam.

    Sebastião manteve-se distante da comitiva – desde a chegada festiva à partida repleta de promessas. Observara tudo de longe, em silêncio, espreitando os passos do neto onde quer que fosse. Notou-o discursar, falar bonito, distribuir abraços e beijos, o mesmo sorriso colado no rosto, o mesmo ar de político em início de carreira. E não gostou do que viu. Rubinho estava mudado. Profundamente mudado. Não lembrava o Rubinho de antes, o companheiro de todas as horas, o menino da roça, conhecedor de tudo quanto havia no Vaza Barris, seja dado pela natureza ou produzido pela mão do homem; o brilho que agora tomava seus olhos era outro, uma luz diferente da que Sebastião conhecia. O neto falava de obras e política e transformações sociais e melhoria de vida. Mas não havia tomado a bênção dele e da avó, como costumava fazer quando criança, nem também havia parado para provar o doce de carambolas que Margarida, dias antes, preparara especialmente para ele, duas madrugadas inteiras mexendo o tacho fumegante no fogão a lenha; tampouco havia conversado com o avô sobre a lida na roça, sobre as cabras, as galinhas poedeiras, a plantação de jiló. Não perguntara sobre a vida e a saúde, se estavam bem, felizes, se lhes faltava algo. Não quisera saber o que os avós achavam de tudo aquilo, se aprovavam ou desaprovavam seus planos, ou o que pensavam e deixavam de pensar sobre a futura barragem do Rio Grande, o mesmo rio onde pescaram e nadaram e brincaram tantas vezes. Para Sebastião, aquele não era o seu neto.

 Meses após a visita da comitiva ao Vaza Barris, chegara ao prefeito Ulisses da Ema o relatório final dos estudos técnicos, apontando a Passagem da Gia, terras do coronel Adustino, como o local ideal para o represamento do Rio Grande. Era o trecho em que o rio se tornava maior, mais volumoso; fora isso, não havia afloramento de rochas nem barrancos em excesso; o solo seco, firme e profundo tornava as condições adequadas para a empresa, com captação de água suficiente ao abastecimento das áreas próximas e mais afastadas, a exemplo do Rodeadouro, distante cerca de cinco léguas. As escavações deveriam começar no tempo seco, ou seja, no semestre seguinte. Por isso, a Diretoria de Obras contra a Seca providenciou rapidamente os requisitos legais, como as licenças dos órgãos ambientais. O projeto, conforme asseguraram os técnicos, garantiria benefícios sociais a toda a região, promovendo desenvolvimento jamais visto naquelas paragens. Esse argumento, reforçado pela influência política do secretário de Obras e Infraestrutura, acelerou a liberação das autorizações e a área foi considerada de utilidade pública. Significava, na prática, que o estado teria, a partir daquelas autorizações, prioridade absoluta sobre o uso das terras, cabendo a ele definir as condições em que as desapropriações se dariam e os cálculos usados para estabelecer o valor das indenizações. As consequências de todo aquele imbróglio, porém, os homens e as mulheres simples do Vaza Barris só souberam tempos depois.

A notícia se espalhou, e antes que os moradores pudessem digerir completamente a informação, as equipes da Diretoria de Obras contra a Seca já haviam desembarcado em solo belomontense para o cadastramento das famílias e propriedades que deveriam ser indenizadas e, em seguida, desalojadas. O relatório indicava que, para o barramento do Rio Grande, a área a ser atingida iria desde a Passagem da Gia até o Rodeadouro, passando pelo Vaza Barris. O Vaza Barris, pois, e aquela imensa região de sertão seriam inundados para dar lugar à nova, necessária e tão desejada Barragem do Rio Grande.

As desapropriações causaram grande rebuliço entre os belmontenses. Feitas as devidas medições de terreno, as equipes da Diretoria de Obras contra a Seca tornaram a visitar as comunidades, uma a uma, já com o levantamento de quanto cada família receberia pelas terras e benfeitorias, a exemplo das casas, estábulos, currais. Não houve resistência. Certos da importância e da magnitude da obra que, conforme se dizia, traria o progresso para o sertão, e tendo recebido o cheque com o que lhes pareceu um valor muito acima do que possuíam ou mereciam, e assinados os documentos todos, os moradores reuniram suas cabras, as cabeças de gado, galinhas e cachorros, além dos pertences de casa, os móveis, as cangalhas, pias, portas e janelas e rumaram em direção a outras terras, para além da zona a ser inundada.

Famílias inteiras cruzavam a caatinga, dia e noite, numa romaria ora animada, ora silenciosa. Para trás ficavam não apenas o chão onde nasceram e foram criadas, mas também as lembranças, as memórias de muitas gerações, histórias de labuta, pequenas conquistas amealhadas pouco a pouco; para trás deixavam seus mortos, seus fantasmas. Mas não houve tempo nem interesse para questionamentos ou lamentações. Ora, as máquinas logo chegariam, barrancos seriam escavados, a terra removida pelas pás famintas; e, então, aqueles casebres simples e sem muito valor seriam demolidos, destruídos, amontoados e jogados bem longe dali, para que o Rio Grande pudesse espalhar suas águas grossas, sepultando o que fora, um dia e por muitos anos, o lar de todos eles. O progresso urgia! Assim, esforçando-se por convencerem a si mesmos do quão vantajoso havia sido o negócio, marcharam os lavradores em direções distintas, para os mais próximos e longínquos lugares do sertão, talvez felizes, talvez confiantes num recomeço longe das raízes.

Era fim de tarde quando Rubinho chegou para, ele próprio, dar a notícia da desapropriação do Vaza Barris aos avós. Não seria tarefa fácil, estava certo disso, mas cabia a ele e a mais ninguém lhes explicar a grandiosidade do projeto do qual estavam prestes a tomar parte. Sebastião e Margarida, evidentemente, já deduziam os propósitos do neto com aquela visita. Afinal, noutra coisa não se falava desde o Vaza Barris até a Canabrava. Rubinho encontrou a avó chorosa, diante do oratório de Santa Bárbara, fechada em orações. Sebastião estava sentado no quintal, aos fundos da roça, embaixo dum pé de jamelão em flor. Pitava um cigarro de fumo de corda. Com um galho seco de aroeira, o lavrador rabiscava garranchos no chão. Rubinho se aproximou. Buscou um sorriso de confiança antes de pedir a bênção do avô. Sebastião não respondeu. Sequer levantou a cabeça. Permanecera na mesma posição, rabiscando a areia, alheio, perdido nele

mesmo. Rubinho insistiu e, só então, Sebastião ergueu os olhos para ele.
– Perdeu o que aqui?
– Bênção, Vovô... – disse o neto estendendo a mão.
– Perdeu o que aqui? – Sebastião fez que não ouviu.
Rubinho engoliu a saliva. Recolheu a mão ao bolso.
– Vim lhe falar sobre a barragem. O senhor já deve saber que as máquinas estão para chegar...
– Economize seu tempo.
– Vovô, me deixe explicar...
Sebastião fuzilava o neto com os olhos. Interrompeu a fala de Rubinho:
– Explicar o quê? Que vosmicê é um traidor? Que vosmicê cuspiu na nossa cara? Que negou o seu sangue? Que quer entregar as terras da família?
– Vovô, me deixe explicar. Não é nada disso. É o progresso! O progresso, Vovô!
– Para os diabos com o progresso!
– Sim, o progresso! Isso aqui vai ser diferente. Vamos ter mais água. A seca não vai castigar como antes. Todos vamos ganhar.
Sebastião levantou-se do banco. Jogou fora o galho seco e partiu para cima do neto.
– Vosmicê me julga ignorante? Quem é que vai ganhar com essa barragem? Vosmicê? O prefeito Ulisses? Esse tal Doutor Dias? Quem mais? O governo?
– Todos ganham. Essa gente toda ganha. O benefício vai para todos.
Sebastião encheu o peito. A mão fechada. Parecia que explodiria de tanto ódio.
– Não me tire por ignorante! Sei bem o que essa gente toda ganha. Meia pataca pelas terras e nada mais. Não venha dizer que esse tal progresso é para todos. Não é. Vosmicê sabe disso.

– O senhor não me deixa... – Rubinho tentou interromper.

– Sabe quem ganha? Pois eu digo. É o fazendeiro cheio das posses. Seu Jeremia, Dona Noêmia de Lalau, o coronel Adustino. Essa gente tem fazenda grande, tem dinheiro, pode puxar energia de longe, pode puxar irrigação, pode plantar manga, plantar coco, fazer esse negócio de piscicultura. Essa gente vai ganhar, sim senhor! A água vai correr para eles, assim como o rio corre para o mar. Mas o pobre aqui do Vaza Barris, das Sete Lagoas, da Água Torta, do Rodeadouro, esse pobre coitado vai embora sem direito a nada. O dinheiro logo se acaba e o diabo vai viver à míngua, esquecido, talvez passando fome e necessidade, sem um pedaço de terra para cobrir seu corpo quando Deus chamar. Essa é que é a verdade!

Fez-se silêncio. Margarida correu até a porta dos fundos. Rubinho enxugou a testa.

– O senhor não entende. Ou não quer entender.

– Eu não entendo?

Sebastião elevou ainda mais a voz. Prosseguiu:

– Pois eu digo: eu entendo muito bem! Vosmicê é que não entende nada. Vosmicê foi criado aqui nesse chão, comendo dessa comida e bebendo dessa água. Mas parece que esqueceu o valor de tudo, o que é ter um lugar onde plantar e colher seu alimento, criar seus bichos. Esqueceu o que é ter uma história, uma raiz enfiada na terra. Vosmicê foi-se embora para a capital, virou bacana, tirou curso, fez amizade importante. Aprendeu um mundo de coisas.... E desaprendeu outro tanto. Desaprendeu o que é o amor à terra e à família! Vosmicê é um traidor!

Rubinho ouviu calado. Tentou pôr a mão no ombro do avô.

– Não bula em mim! Não me bula!

– Vovô, entenda...

– De agora em diante vosmicê não me chama mais de avô. Vosmicê não entra mais nessa casa. Eu não tenho mais neto!

Margarida deu um grito. Rubinho recuou assustado. Não reconhecia o avô. Sebastião estava possesso, transformado.

– Mas Vovô...

– Fora! Fora! Vá-se embora!

Rubinho encarou Margarida. A avó estava aos prantos. O neto fez esforço para segurar as lágrimas, para conter a vontade de gritar. Tentou dizer algo, mas a garganta travara num nó. Passou pela avó, deu-lhe um beijo na testa e, antes de partir pelo mesmo caminho por onde chegou, agora silencioso e sem o sorriso de antes, ainda ouviu Sebastião dizer:

– E saiba de uma coisa: daqui só saio morto!

Margarida desceu os degraus e foi até o marido. Ele voltara a se sentar no banquinho embaixo do jamelão em flor.

– Homem de Deus!

– Me deixa, mulher! Me deixa!

Antônia Emerenciana e Rubenito dos Carajás foram até o Vaza Barris. Pretendiam reverter a situação, advogando em favor de Rubinho. De nada adiantou. Sebastião estava irredutível. As visitas se repetiram ao longo dos meses seguintes, período em que o povoado fora se esvaziando à medida que os moradores assinavam os termos da desapropriação e partiam dali. Filha e genro buscaram dissuadir Sebastião até se esgotarem todas as possibilidades de diálogo. Assim, nos últimos dias antes do início das demolições, somente Sebastião não havia recebido a equipe da Diretoria de Obras contra a Seca. As outras famílias tinham deixado o povoado e tudo em volta caíra num silêncio cortante. Diante das recusas em receber os técnicos do governo, o juiz de Belo Monte, Doutor Beleziano Souza, expediu uma intimação contra Sebastião. Ordenava que ele deixasse a casa e o povoado imediatamente, sob pena de ser preso por desacato. Nas duas primeiras tentativas de entregar a ordem judicial, o oficial fora enxotado da roça com gritos e a carabina apontada para a testa. Da última vez, prometeu voltar no dia seguinte escoltado pela polícia. E assim o fez.

O sol já ia alto quando Libarino, o oficial de Justiça, despontou no início do Vaza Barris. Ladeado pelo delegado Mamede e por dois policiais, cabo Eleotério e soldado Marcos, trazia, pela terceira e última vez, a intimação do Doutor Beleziano Souza. Andaram a passos largos pela estrada de barro até a metade do povoado. Interromperam a marcha tão logo viram, lado a lado, o lavrador e sua carabina.

– Êita! Vai me dar trabalho o cidadão ali... – profetizou o delegado.

Sebastião levantou-se lenta e tranquilamente. Ajeitou as calças de cambraia, o chapelão, tomou a carabina e deu dois passos à frente. Estava distante vinte metros do delegado. Profusas baforadas de cigarro cobriam o ar. Mamede foi firme:

– Larga essa arma, meu compadre! Carece isso não!

Sebastião olhou tudo em volta: os campos vazios, as casas abandonadas, as ruelas desertas. Respirou fundo, como se quisesse reter nos pulmões e na memória o cheiro do sertão que lhe era tão caro. Lembrou-se repentinamente da mãe e de como ela narrava as histórias da avó dele, Emerenciana Rogácia do Amor Divino. "Morreu lutando pelo Canudos. E pelo bom Conselheiro. E pela coisa que ela mais prezava na vida, que era a liberdade dela." – dizia Dona Engrácia. Encheu-se, então, duma alegria diferente, uma alegria de despedida, sem peso algum, sem medo algum. Era uma sensação inteiramente nova, uma espécie de coragem redobrada, de fôlego refeito; viu um cancão de fogo cruzar o céu, e o canto do pássaro se fez ouvir de longe. Reparou atentamente nas miudezas em volta: o vento quente levantando o barro da rua, o farfalhar das folhas no pé da umburana, o tilintar dalgum chocalho indicando cabra ou bode perdido nalgum canto próximo. Miudezas com as quais estava acostumado, é fato, mas que naquele instante final se enchiam de um novo sentido. E enchiam o lavrador de uma alegria que não cabia no peito. Riu daquelas coisas todas e dele próprio, da dureza do seu ser, da teimosia que o trouxe até ali. Agora que parecia estar no fim, e já que nada além do fim podia esperar, pegou-se a rir de tudo e, sobretudo, dele mesmo. "A pessoa é para o que nasce" – pensou. Foi então que o delegado deu o aviso:

– Larga a arma, compadre. Larga a arma e vamos conversar. Não quero ter que agir contra vosmicê.

– Pois que aja, compadre! Daqui só saio morto! – disse Sebastião.

A tensão aumentava. Os soldados mexeram-se. Já traziam os revólveres fora dos coldres. Mamede fez sinal com a mão para que tanto o oficial quanto os soldados ficassem onde estavam. Também ele tirou a arma do coldre e avançou na direção de Sebastião.

– Pois venha, compadre! – Sebastião provocou.

Rubinho chegou de repente. Apareceu no Vaza Barris montado num cavalão ruço. Fora até lá assim que soube, através de Ulisses da Ema, que o delegado Mamede tinha sido incumbido de escolher o oficial de justiça e fazer com que Sebastião, enfim, deixasse a propriedade. Estava preocupado com o avô. Depois de cumprimentar o oficial e os policiais, falou ao delegado:

– Me deixe tentar, Doutor Mamede.

– O homem está armado. É perigoso.

– Esse homem é meu avô, delegado.

Mamede compreendeu o sentido daquelas palavras. Fez que sim com a cabeça. Rubinho, então, passou à frente e se aproximou do avô, que agora não parecia nervoso ou irritado. Nem tampouco demonstrava que o mandaria embora como fizera da última vez. O neto chegou à distância de um braço. Notou que Sebastião usava as botinas presenteadas por ele mesmo, Rubinho, no último aniversário do avô. Sorriu.

– O senhor reclamou que as botinas ficaram apertadas. Mas vejo que está usando.
Sebastião olhou para os próprios pés. Também sorriu.
– Vamos conversar, Vovô. – Rubinho pediu.
– Sobre o quê?
– Ora, sobre isso aqui – olhou para trás e apontou os outros.
– Não precisa disso. Vamos resolver na conversa.
– Tem mais nada para conversar, não. Já disse e vosmicê já sabe. Só saio daqui morto.
– Deixe de bobagem, homem de Deus. Para tudo tem um jeito. Vamos resolver isso.
Um vento forte varreu o Vaza Barris. A poeira subiu, se espalhou pelo ar e tornou a baixar. Do meio da rua, parado e com a arma em punho, Mamede tentava ouvir o que neto e avô conversavam. Reparou quando Rubinho deu um passo a mais, tomando a frente de Sebastião. Parecia querer convencê-lo a entregar a carabina. O lavrador afastou abruptamente a arma para um lado, a fim de evitar que o neto tentasse tomá-la à força. Foi quando Mamede alertou os imediatos:
– Em posição!
O cabo Eleotério, mais novo e mais afoito que o soldado Marcos, entendeu que o aviso, em verdade, era uma ordem para atirar. Sem pestanejar, esticou o braço e posicionou a arma. Mas embora tentasse, não conseguia fixar a mira em Sebastião. O neto cobria-lhe a frente. O cabo, enfim, prendeu a respiração e antes mesmo que o companheiro ao lado pudesse impedi-lo, disparou naquele que considerou ser o momento oportuno. O tiro explodiu no Vaza Barris e só não foi mais estrondoso que o urro ouvido logo em seguida. Vieram, então, os gritos. Longos, arrastados, dilacerantes.
– Não, não, não!
Os pássaros voaram assustados, e Margarida, que permanecera deitada até ali, alheia àqueles acontecimentos, levantou-se

tremendo, quase sem fôlego. Apoiando-se nas paredes, caminhou até a porta da casa, o coração acelerado, uma crescente expressão de pavor. Chegou em tempo de ver os esguichos de sangue lançados para o alto e para os lados, cobrindo as roupas de Sebastião e de Rubinho, o chão do terreiro, as paredes da casa. Antes de cair desmaiada, Margarida apenas gritou:
— Valei-me, Santa Bárbara! Valei-me!

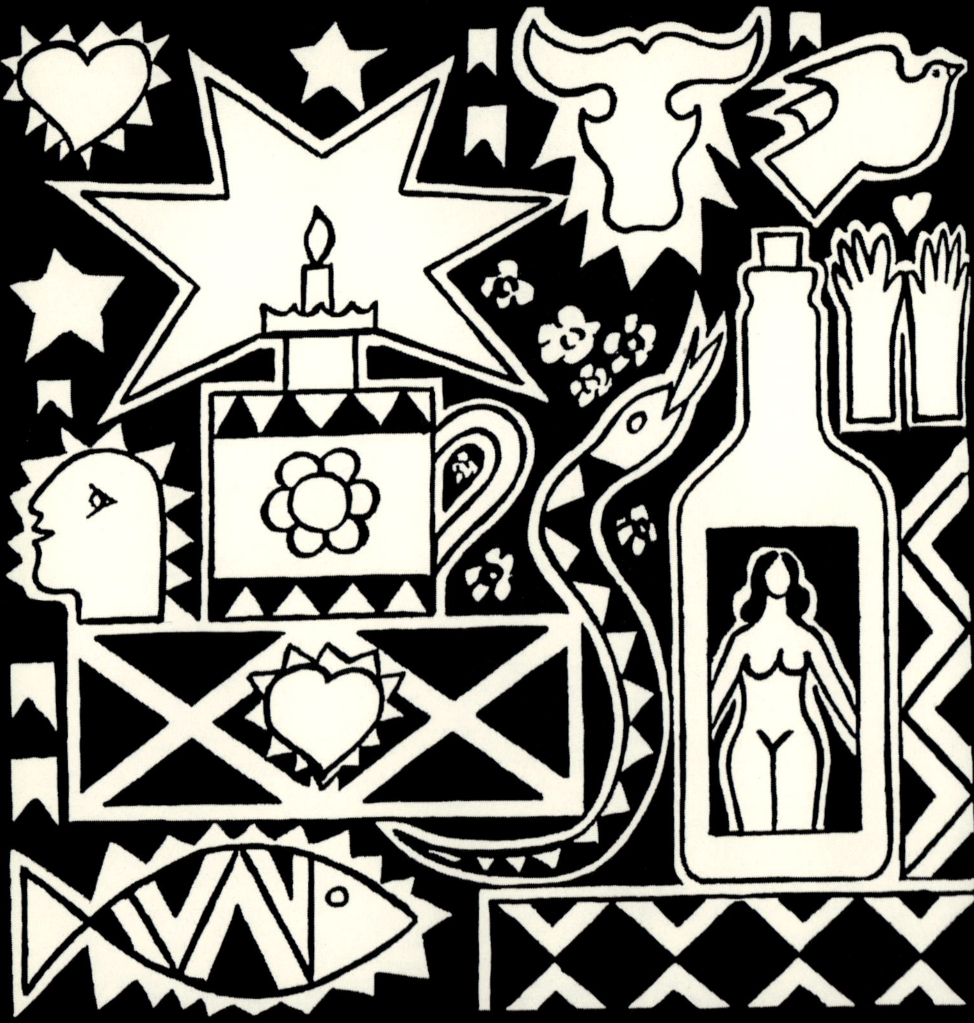

O curioso destino de Rita Quebra-Cama

Nem os palhaços Asa Branca e Assum Preto. Nem o Mágico Vladmir e sua Incrível Cartola dos Poderes. Muito menos o Gigante Sete Palmos. Palmira, a Mulher Gorila; o Engolidor de Facas, James Argentino, ou o Fabuloso Rixarde, um jovem leão de juba larga, famoso, segundo jurava o animador, por já ter devorado seis pessoas, entre domadores e curiosos. Nenhuma das atrações do Circo de Zé Gatinha, desembarcado há algumas semanas no sertão do Araribóia, despertava mais o interesse e a curiosidade dos moradores que ela, a enigmática, a misteriosa, a incomparável Vidente Manoela. Não que despertasse a atenção por ser bonita, elegante; tampouco pelas roupas coloridas e espalhafatosas que usava ou pelo sotaque forte, às vezes incompreensível, mistura dos muitos sotaques dos muitos lugares por onde já passara. Mas, sobretudo, pelo dom incomum que a cigana possuía de prever o futuro. Vidente Manoela nunca falhava. Essa, aliás, era a descrição que constava duma plaquinha de madeira afixada junto à tenda onde ela recebia os clientes, aqueles que se dispusessem a pagar, além do ingresso do circo, um valor extra pela consulta. O ritual era sempre o mesmo. Depois da exibição dos seus poderes no picadeiro, momento em que convidava alguém da plateia para ler o futuro, diante de olhares incrédulos, e lhes demonstrava por que era considerada a melhor entre todas, a Vidente Manoela recolhia-se à tenda, nos fundos do circo, e começava os atendimentos individualmente. As sessões se iniciavam antes do último número, o dos Palhaços Irmãos, e prolongavam-se até meia-noite quando, exausta, ela dispensava as pessoas que restavam na fila, apagava as velas e lamparinas e desabava sobre as almofadas. Pela vontade dos clientes, viraria a madrugada prevendo o futuro.

Embora ninguém ousasse questionar os poderes ocultos da cigana, e mesmo que eles impusessem respeito e medo, é fato que as previsões da Vidente Manoela também costumavam desagradar. Muitos dos que entravam em sua tenda, ansiosos para ouvir as melhores profecias a respeito de si mesmos e de suas famílias, com maravilhosas previsões sobre reencontros, casamentos, novos amores, fortuna, sucesso em querelas na justiça, boa saúde e vida longa, saíam de lá frustrados, decepcionados, e, não raro, disfarçando lágrimas ou dissolvendo-se em pranto aberto. A Vidente Manoela não conhecia meias-palavras. Não dava voltas nem preparava o espírito do cliente para o que estava prestes a escutar – fosse algo que lhe traria alívio e alegria ou, como mais comumente se passava, dor, aflição, arrependimento. Era rápida, direta, objetiva. Após alguns minutos calada, diante dum copo com água até a metade e milimetricamente posicionado no centro de uma mesa redonda, coberta por muitas sedas, e envolta pela fumaça de muitos incensos, a Vidente Manoela disparava a frase de sempre:

– Deseja perguntar algo ou prefere que eu comece a falar?

Silêncio quebrado, sentenciava:

– A senhora não passa desse ano. Morre antes da chuva chegar.

Ou ainda:

– Vai perder a fazenda em breve. Os bois não pagam a dívida no banco.

Noutros momentos, olhos nos olhos, dizia:

– Fique certa. O bebê nasce. Mas teu marido vai embora. Te deixa para ficar com a amante.

Em alguns casos, conseguia prever acontecimentos com riqueza de detalhes:
– Vejo aqui. Tua mulher está te traindo. E é fácil descobrir o dito cujo. É um galego que frequenta tua casa e costuma visitar tua esposa quando você está na lida. Vigia o final de tarde e verá o que digo.

Ainda que desagradassem a muitos, as previsões da cigana também traziam alento, conforto. E, mesmo nesses casos, quando se estampava um largo sorriso no rosto do consulente, a Vidente Manoela era pragmática.

– Não precisa se desesperar. O moleque vai ficar bom. Em mês e meio, estará andando novamente.

Em situações assim, tomados de felicidade, os clientes mostravam-se generosos. Pagavam além do valor estabelecido; outros, tão imensamente satisfeitos, cobriam a cigana de presentes. Arrancavam anéis, pulseiras, correntes, correntinhas, brincos e outras joias e, com o maior desapego, ofertavam à Vidente Manoela. Exatamente para isso, a cigana mantinha uma cestinha bem ao lado da mesa. O acordo com Zé Gatinha, estabelecido anos antes, era muito claro: o dinheiro apurado com a venda dos ingressos para as consultas pertencia ao dono do circo. O que entrava a mais, fruto da gratidão dos clientes, assim como os presentes, ficavam para a cigana. As regras beneficiavam a ambos, é fato, mas sobretudo ao dono do circo, uma vez que a Vidente Manoela era sua atração mais concorrida e lucrativa. Em verdade, o grande chamariz de público. Conquanto o patrão não revelasse a ninguém o valor apurado em cada noite de espetáculo, os funcionários sabiam que só o montante arrecadado com as sessões na tenda bastaria para Zé Gatinha manter o circo funcionando plenamente. Pagava o salário das demais atrações, os gastos com energia, os reparos na lona e nos equipamentos de luz e som, além da carne sempre fresca e suculenta para o sempre faminto Rixarde. O que entrava pela bilheteria do circo, excluindo as sessões na tenda, seguia para um fundo de reserva, usado em situações excepcionais, a exemplo da tempestade em Queimadinha, que obrigou Zé Gatinha a investir grande parte das economias na compra de uma lona inteiramente nova. O fundo também servia para emergências de outra natureza. Não foram poucas as vezes em que o dono do circo teve que recorrer à reserva para consertar estragos causados por clientes da própria cigana, desesperados com suas terríveis previsões, bem como reparar atos de vandalismo provocados por maridos abandonados pelas esposas atendidas pela vidente. Essas situações também estavam previstas no acordo.

O que Zé Gatinha e os funcionários do circo jamais entenderam, apesar de todos já terem tentado descobrir com indiretas, ouvidos atentos atrás das portas e mexericos, era o motivo pelo qual a incrível Vidente Manoela, a melhor entre todas, submetia-se a correr aquele sertão sem fim, ano após ano, fazendo intermináveis consultas, se poderia estabelecer-se nas maiores e melhores cidades, ou até na capital, com casa própria para os atendimentos, secretária particular e segurança, gozando do conforto que o dom espetacular seria capaz de lhe proporcionar. Um mistério indecifrável. O que circulava entre eles, sem muito crédito, era a história segundo a qual a Vidente Manoela, tendo descoberto a vidência ainda menina, no arranchado de ciganos onde nascera, nas Alagoas, previra, com apenas doze anos de idade, a própria morte. O copo d'água revelara uma morte lenta, dolorosa, sem chance de defesa. Para protelar aquele desfecho, mensagens recebidas através de sonhos aconselhavam-na a ingressar nalguma companhia circense e fugir das Alagoas, ganhar o mundo. Não evitaria o fim trágico que o destino lhe sentenciara, mas empurraria a própria sina para mais adiante.

Talvez por isso, desde muito cedo, a Vidente Manoela peregrinava sem rumo certo e engajada em muitas companhias circenses sertão afora. Já tomara parte no Maximus Circus, de

Pedro Pondé Alexandrino, no Circo Real de Esplanada, de Dona Raposinha, na Lona Mágica, dos irmãos Koslov. Também estivera na Trupe Saltimbancos, o último onde trabalhou antes de conhecer e ser convidada, nove anos atrás, a se juntar ao Circo de Zé Gatinha. Perdera totalmente o contato com a família, abandonada nas Alagoas, e sobre ela nunca fazia comentários. Vivia num universo próprio, uma espécie de mundo paralelo, e raramente era vista fora do circo. Não fossem as rápidas aparições no picadeiro, no meio dos espetáculos, e a fila de clientes que se formava diante da tenda no fundo do circo, muitos duvidariam da sua existência.

Queila Regina, filha do veterano prefeito do Araribóia, decidiu conhecer a Vidente Manoela na última semana do Circo de Zé Gatinha na cidade. Fora finalmente convencida pelas amigas Suzi e Sueli, que desejavam visitar a tenda da tão falada "cigana do copo d'água" por puro divertimento. Queila Regina, porém, iria apenas para acompanhá-las. Noiva, de religião protestante e temente a Deus, não acreditava nas histórias que contavam sobre a bruxa, tampouco que alguém possuísse o dom de prever o futuro.

– O amanhã só a Deus pertence! – dizia ela, absolutamente segura das próprias palavras e da própria fé.

Comunicou ao pai Abimael e ao noivo Eugênio, com quem, enfim, se casaria em breve, que iria ao circo, e para lá seguiram Queila Regina e as amigas Suzi e Sueli. A noite estava especialmente inspiradora. Céu estrelado, brisa fresca, um delicioso cheiro de pipoca no ar. As amigas se sentaram nos melhores lugares. Queriam ver de perto a Vidente Manoela. Quando a cigana entrou no picadeiro, precedida por dançarinos em trajes africanos e um perturbador som de atabaques, as arquibancadas tremeram. A multidão levantou-se sobre as tábuas de madeira para aplaudi-la, saudando-a com urros e gritos ensurdecedores. Queila Regina estremeceu. Sentiu um repentino e inexplicável medo daquela mulher magra, de pela morena e olhos estranhamente fundos, com o rosto, as mãos e os longos dedos decorados com pequenos cristais coloridos. A cigana trazia um rico turbante de seda e, saindo por debaixo dele, um pequeno microfone que se projetava na altura da boca; uma bata vermelha e dourada caía-lhe do pescoço aos pés. Suzi e Sueli repararam no jeito performático com que a vidente movimentava as mãos em cima do copo d'água colocado sobre uma mesa no centro do picadeiro; dois grandes canhões de luz, posicionados no alto da lona, lançavam feixes coloridos sobre o copo, a mesa e a cigana. A Vidente Manoela, sem dizer uma palavra, movia a cabeça em todas as direções, como se desafiasse um voluntário na plateia com coragem suficiente para uma consulta pública. Do meio das arquibancadas, um velho gordo e bonachão, que as amigas identificaram ser o magarefe do Araribóia, levantou o dedo. Um dos dançarinos em trajes africanos foi até ele e o conduziu à cadeira colocada em frente à mesa. Havia um microfone apoiado num pedestal, para uso dos clientes.

– Qual a sua graça? – a Vidente Manoela perguntou.

– Malaquias, seu criado.

– Deseja perguntar algo ou prefere que eu comece a falar?

– Quero saber se vou ficar rico! – brincou o magarefe, arrancando gargalhadas da plateia.

A cigana encarou o copo por alguns instantes. Disse:

– O senhor anda gastando demais com o jogo do bicho. Vejo que vai ganhar muito dinheiro ainda, mas nesse ritmo há de perder tudo quanto possui. A casa, o comércio. Não espere ficar rico.

A plateia calou-se. A algaravia deu lugar a um silêncio constrangedor. Malaquias abriu os dentes num sorriso sem graça. Tentou disfarçar o embaraço com uma nova pergunta.

– E minha mulher Cipriana? Volta pra mim? A senhora consegue ver?

O circo fez novo silêncio. Um ou outro risinho de nervosismo podia ser ouvido nas arquibancadas. Havia expectativa geral no ar. A cigana se concentrou no copo. Depois voltou-se para o magarefe com a seriedade de alguém que repreende a má criação de uma criança.

– O senhor Malaquias tenta me ludibriar. O senhor é viúvo. Sua esposa Cipriana morreu faz é tempo.

A plateia parecia não acreditar. Eram extraordinários os poderes da Vidente Manoela até para descobrir uma tola tentativa de embuste. Calada, ela agradeceu com movimentos solenes de mãos e com uma leve inclinação de cabeça. Fortemente aplaudida, sob assovios, a Vidente Manoela deixou o picadeiro seguida pelos dançarinos. Fora iniciar os trabalhos na tenda nos fundos do circo. Suzi e Sueli, boquiabertas, arrastaram Queila Regina para a fila. Se quisessem ser atendidas, teriam que se antecipar àqueles que deixavam as arquibancadas e marchavam na direção da tenda. Os curiosos davam voltas ao redor do circo. A fila espichava-se para além do local onde estavam estacionados os caminhões e as marinetes de Zé Gatinha. Já estavam cansadas e quase desistindo quando, enfim, chegou a vez das três amigas. Sueli foi atendida primeiro. Depois Suzi. E, por último, Queila Regina. A filha do prefeito Abimael, ainda que considerasse tudo em volta um espetáculo teatral, puro divertimento mundano, demonstrava agora grande desconforto. O ambiente místico daquele lugar apertado, a fumaça dos incensos e o jeito circunspecto da bruxa incomodavam-na. Sentiu uma ponta de arrepio ao encarar a cigana. A Vidente Manoela olhava-a fixamente. Queila Regina chegou a pensar em desistir, dar meia volta e sair dali o quanto antes. Pouco lhe importava já ter pago pela consulta. Mas a cigana havia feito sinal para que se sentasse. Manteve-se demoradamente concentrada no copo, muito além do tempo necessário para perscrutar o futuro dos clientes. Parecia ter visto algo que a incomodara. Não tinha por hábito importar-se com as visões recebidas, do mesmo modo que nunca perdera tempo com rodeios ou procurando palavras menos impactantes para pronunciar suas previsões. Mas ali, diante de Queila Regina, por alguma razão inexplicável, a Vidente Manoela titubeou. Era como se, dalgum modo, a própria cigana estivesse implicada no que acabara de ver no copo d'água. Por fim, puxou o ar e falou com a voz vacilante:

– Deseja perguntar algo ou prefere que eu comece a falar?

Queila Regina colocou as mãos sobre o colo; juntou uma perna na outra. Receou ser flagrada tremendo. Disse:

– Pois comece.

– Vejo que está de casamento marcado. Mas o copo avisa: a senhora não deve se casar.

A filha do prefeito fez que não entendeu.

– O quê?

– Estou vendo aqui. Esse homem que a senhora está noiva não é o que a senhora imagina. Coisas muito ruins vão se passar se o casamento acontecer. Vejo tudo no copo: traição, sangue, morte.

A tenda mergulhou em silêncio por alguns rápidos instantes; em seguida, Queila Regina soltou uma gargalhada.

– Acaso a senhora está brincando comigo?

– Eu não brinco. E o que o copo diz é só a verdade. Vou repetir: se a senhora se casar com esse sujeito, coisas ruins vão suceder, uma atrás da outra, sem demora, tudo rapidamente. Seu casamento será a sua sentença. Puro sofrimento para a senhora.

– Ora! Mas é para ouvir esse tipo de absurdo que se paga o dobro do ingresso nessa espelunca? É para esse tipo de asneira que a gente espera tanto tempo na fila? – Queila Regina estava irritada.

A Vidente Manoela continuou:

– Não é asneira, senhora. Apenas vejo que esse homem não é a pessoa que a senhora imagina. E vai lhe fazer sofrer.

Queila Regina gelou. "Como essa bruxa pode saber do meu casamento? De onde tirou essa ideia de que Eugênio não é a pessoa que eu imagino que seja? Ah! Suzi e Sueli vão me pagar!" – pensou. E antes que pudesse ralhar ou levantar-se da cadeira e ir embora, ouviu ainda:

– Também vejo que a senhora há de se deitar com muitos homens ainda.

A consulta havia terminado para Queila Regina. Irritada, segurando as lágrimas e esforçando-se para não desabar ali mesmo, deu um salto da cadeira e pôs-se de pé. Agora tremiam mãos, pernas, voz.

– A senhora não passa de uma charlatã! Uma vigarista! Eu repreendo! Repreendo!

– Eu não te chamei aqui. O destino te trouxe. E vai trazer uma segunda vez.

Num rompante, Queila Regina lançou a mão contra o copo d'água, que se espatifou num dos cantos da tenda. Gritou antes de sair:

– Para o inferno!

Atravessou a tenda tão rapidamente que as amigas, do lado de fora, quase não a alcançaram. Suzi e Sueli correram atrás de Queila Regina, também elas impressionadas com as previsões que há pouco ouviram da cigana sobre suas próprias vidas.

O Circo de Zé Gatinha levantou lona e zarpou do sertão do Araribóia poucos dias depois. Meteram-se todos em três caminhões, quatro marinetes e em pequenos ônibus, uma comitiva mambembe, colorida e alegre, espalhando a poeira da estrada. Partiam rumo a outra cidade. O Fabuloso Rixarde, sacudindo dentro da jaula, rugia em despedida. Atrás dele, aos gritos e acenos, um grupo de moleques magros e sem camisa.

As palavras da Vidente Manoela reverberaram na cabeça de Queila Regina até pouco antes do casamento. Restabelecida do choque, vez ou outra relembrava o que a bruxa havia dito na tenda, suas previsões sem pé nem cabeça, mas que, por algum motivo, mexeram com ela. Se eram falsas profecias duma falsa vidente, por que razão Queila Regina ficara tão profundamente impressionada? Por que perdera noites de sono, dias de sossego, remoendo cada frase dita, o olhar penetrante da mulher do copo, numa aflição sem tamanho, num sofrimento que lhe apertava terrivelmente o peito? Qual o sentido daqueles sonhos recorrentes desde a noite em que deixara a tenda, em que se via novamente diante da bruxa, mas agora sem roupas, nua por inteiro, usando um provocante batom vermelho, lasciva, vulgar, enquanto Eugênio assistia à cena com uma coroa na cabeça e um sorriso mal-intencionado? Como teria sido possível à vidente charlatã saber do casamento próximo? Nenhum detalhe da vida de Queila Regina ou da de Eugênio fora revelado pelas amigas, conforme depois elas juraram. Ora, a vidente falara também em "se deitar com muitos homens". O que pretendia com isso? Ganharia o quê fazendo-a sofrer tantos dias depois, regurgitando suas malditas profecias, mesmo Queila Regina estando convencida de que nenhuma delas se cumpriria e que ninguém neste mundo seria capaz de possuir dom de vidência? Perguntas que ficariam sem respostas até depois do casamento.

Queila Regina casou-se com o homem a quem amava. Eugênio Fluorêncio Magno, seu primeiro e único namorado, agora marido, era o vice-prefeito da cidade, amigo e braço direito do sogro, o prefeito Abimael. Empresário próspero, dono das lojas de tecidos Magno Panos, Forros e Aviamentos, no Araribóia e na cidade vizinha, Jardineira, e, ainda, ministro da Igreja Internacional da Conversão Divina, da qual Queila Regina fazia parte e onde, aliás, se conheceram. "Muitas qualidades em um homem só", como resumiram as amigas Suzi e Sueli. Mas até a união definitiva, oficializada semanas após a partida do Circo de Zé Gatinha, Queila Regina e Eugênio percorreram uma longa caminhada. Foram treze anos de namoro e quase cinco de noivado.

Dona Bebê, mãe de Queila Regina, ainda era viva quando a filha foi pedida em noivado pelo empresário. Morreu, porém, sem vê-la trocar as alianças de ouro e pequenos brilhantes, lindas e caríssimas, mandadas fazer num ourives da capital.

Embora amasse Eugênio, e disso não restasse dúvida, o fato é que Queila Regina nunca teve pressa em se casar. Resistiu em marcar a data, protelando-a repetidamente, ao ponto de o noivo, inúmeras vezes, questionar a razão daquilo. Os boatos não tardaram a aparecer. Um deles atribuía a demora à suspeita de que Eugênio, interessado em ingressar na vida pública, teria se aproximado de Queila Regina com o único propósito de chegar ao pai dela, o prefeito Abimael, influente liderança política da região. Ainda de acordo com os boatos, a filha do prefeito, ciente do falatório, teria ficado em dúvida quanto às verdadeiras intenções do pretendente. O motivo real, se é que existia, ninguém jamais soube. O que a população do Araribóia sabia, já há muito tempo, era que Queila Regina havia caído de amor por Eugênio desde que o vira pela primeira vez na Igreja Internacional da Conversão Divina. Ao conhecê-lo, ainda adolescente, ela teve certeza: estava diante do homem ao lado de quem passaria o resto da vida, aquele que seria o pai dos seus filhos. Era o homem providenciado por Deus. Se o Senhor agira sobre eles, desde aquele momento, como cria Queila Regina, não havia sentido algum em apressar o casamento. Deus lhe mostraria o momento certo. Assim, esperou pacientemente. Para que pressa? Por que urgência? Não gostava de sentir-se acuada, obrigada. E orgulhava-se do noivo, por também ele ser paciente e de muito respeito. Aliás, que homem naqueles dias passaria quase dezoito anos ao lado de uma mulher, entre namoro e noivado, sem nunca ter avançado o limite imposto pela decência? Que homem, afinal, seria capaz de conter-se, de evitar uma carícia mais íntima, um chamego mais intenso, respeitando a inocência, a pureza, a castidade duma mulher? Esse homem existia e tinha nome: Eugênio.

Por ser assim respeitoso, decente, o verdadeiro exemplo de varão ungido por Deus, Queila Regina o admirava, tanto quanto admirava ao pai. Eram, ambos, homens honrados, políticos sérios, trabalhadores, devotados à fé, atentos aos ensinamentos bíblicos. E por serem parecidos, se entendiam bem. O velho Abimael, experimentado na política, prefeito por muitas legislaturas, tinha Eugênio na conta de um filho. Identificara, desde o início do namoro dele com Queila Regina, a vocação do genro para a política, aquele brilho típico dos homens nascidos para a vida pública.

– Logo se vê. É um cabra ambicioso. Tem tino para a política. Há de ser meu sucessor! – costumava dizer o prefeito, orgulhoso do jovem genro.

Tanto que, anos antes do casamento, quando o partido sugeriu o nome de Eugênio para o cargo de vice-prefeito na chapa que novamente levaria Abimael à prefeitura do Araribóia, o pai de Queila Regina não teve dúvidas:

– É ele! Vai ser meu genro e meu vice!

Correligionários, os irmãos da Igreja Internacional da Conversão Divina, comerciantes do Araribóia e de Jardineira e as mais importantes famílias daquele pedaço de sertão e até da capital compareceram ao concorrido casamento de Queila Regina e Eugênio Fluorêncio Magno. Não houve espaço suficiente no Clube Social Arariboiense. Os curiosos se espremiam na porta, nas ruas laterais e até em cima do muro. Na expectativa de espiar a grande festa, evento aguardado ao longo de quase duas décadas, o povaréu disputava, inclusive, os buracos na parede do clube. Alguns moleques treparam em árvores e lá ficaram plantados. Dali viram chegar os inúmeros presentes para o casal – tantos que, se divididos, encheriam duas casas. O Deputado Rozelito, impossibilitado de comparecer por causa de uma audiência com o governador, mandara entregar dois dos melhores e mais valiosos cavalos do seu haras;

Everildo, o dono da Gráfica A Missão, aparentado com a finada Dona Bebê, presenteou os noivos com um riquíssimo conjunto de facas e punhais para decorar paredes, comprado dum importador chinês. Da presidente da Câmara Municipal, vereadora Rosa Chá, ganharam um lindo quadro com o retrato do casal. Entregues os presentes, trocadas as alianças e recebidas as bênçãos do Pastor Roquefélio, deu-se, então, o aguardado baile. Marido e mulher deslizaram pelo salão ao som da banda da igreja. Brindaram o amor e a união dançando alegremente e seguidos pelos convidados, numa noite morna e particularmente bela, ouvindo hinos e louvores que falavam de Deus, família, valores. Mas os fatos que ocorreriam a partir dali, rápida e atropeladamente, mudariam para sempre os destinos de Queila Regina e daqueles à sua volta.

A lua de mel não ocorreu conforme Queila Regina havia imaginado. Ela e o marido não foram conhecer as plantações de uva no Sul, como planejado; em verdade, sequer saíram do sertão. Um incêndio na loja de Jardineira impossibilitou Eugênio de viajar. Depois foram os compromissos na loja do Araribóia, que passava por grande reforma. Por fim, enterrando de vez qualquer romântica possibilidade de lua de mel, a estranha e repentina morte do prefeito. Apenas seis meses após o casamento da filha, Abimael aparecera morto, o rosto caído sobre a mesa onde despachava na sede da prefeitura, os documentos sujos de vômito. Um médico legista acionado por Eugênio concluiu que o óbito teve causa natural, possivelmente um fulminante ataque do coração; o intrigante, entretanto, era o fato de Abimael sentir-se bem de saúde pouco antes de morrer. Não reclamara de dor e, inclusive, havia acabado de submeter-se a uma série de exames na capital. A cidade mergulhou num luto oficial de três dias, período em que a bandeira à frente da prefeitura permaneceu a meio-pau. Queila Regina mal pode chorar a morte do pai; viu-se obrigada a assumir os cuidados com o irmão adotivo,

Genésio, mais novo que ela, um surdo-mudo que mancava de uma das pernas e sofria de ataques nervosos. Vivera até ali sob a proteção de Abimael. Os mexeriqueiros da cidade diziam que Genésio era filho legítimo do finado prefeito, fruto de uma aventura fora do casamento. Diziam, ainda, que a criança crescera pelos cantos, sozinha, rejeitada por Dona Bebê. Com a morte de Abimael, Genésio foi morar com a irmã e o cunhado na casa de Eugênio, agora conduzido à cadeira de prefeito.

Se na condição de vice-prefeito Eugênio já andava bastante atarefado, no posto de principal mandatário da cidade, enrolado nas responsabilidades que o novo cargo impunha, passara a dedicar ainda menos tempo à esposa. Saía cedo e voltava tarde e, quando em casa, mesmo nos horários de descanso, era comum receber eleitores e correligionários para conversas compridas, uma romaria de políticos e pedintes de toda natureza, gente conhecida e gente anônima, levas de visitantes que entravam porta adentro, refestelando-se nas redes ou aboletando-se em cadeiras e no sofá da sala até alta madrugada. Eugênio reservava os finais de semana para as lojas e, muitas vezes, motivado pelos negócios, acabava tendo que dormir em Jardineira. Tendo apenas o irmão Genésio como companhia, Queila Regina amenizava as tristezas da solitária vida de casada dividindo suas angústias e frustações com Suzi e Sueli. Revelou a elas, em grande segredo, que desde o casamento não havia sido "procurada" pelo marido. Permanecia "intocada". As amigas custaram a acreditar.

– Como é possível? – Sueli perguntou.

– Você não toma a iniciativa? – Suzi quis saber.

Ainda que desejasse o marido, ser tomada por ele e finalmente possuída, como deveria ser, Queila Regina não ousava dizê-lo. Era séria demais para coisas desse tipo, conduta inapropriada a uma mulher cristã e recatada. Ardia na cama, nas muitas noites em que dormia sozinha, e mesmo quando estava ao lado de Eugênio, ao alcance das suas mãos, Queila Regina não se permitia às insinuações; a pudicícia lhe impedia de avançar um centímetro que fosse na direção do esposo, de acariciá-lo, de provocá-lo como sugeriram as amigas. Aguardara muitos anos até tornar-se a senhora Fluorêncio Magno. Agora que o era, no papel e por direito, não se sentia como tal. Eugênio agia como antes do casamento: absolutamente respeitoso. Limitava-se a um discreto beijo nos lábios da esposa, mecânico, formal; estava sempre cansado, sempre sem tempo; quando não eram os incontáveis compromissos na prefeitura e nas lojas, atribuía o esmorecimento ao sono; e quando não ao sono, à indisposição ou às crises de estômago cada dia mais frequentes. Queila Regina, por outro lado, queimava em si; parecia borbulhar. Ondas ardentes de calor percorriam seu corpo; experimentava, pela primeira vez, a terrível sensação de ter o sangue em ebulição. Acordava à noite ofegante, molhada de suor. Pouco adiantavam os banhos frios, as pedras de gelo sobre a pele, as melancias geladas que chupava nos momentos mais agudos. Nada funcionava. Nada surtia efeito.

    Queila Regina culpava a si mesma. Sentia-se responsável pela falta de apetite do marido. Quem sabe não teria sido a longa demora em marcar o casamento? Quem sabe Eugênio, depois de tanto esperar, não houvesse se desinteressado dela? Ou teria ela envelhecido o bastante nesses anos todos? Por que, então, Eugênio não a procurava? Era uma mulher realista. Não se considerava linda, possuidora de destacados atributos físicos. Tinha uma beleza simples, um corpo razoavelmente bem feito, além duma fisionomia agradável. Mas será que o tempo teria agido sobre ela de modo tão implacável, roubando-lhe os encantos, a ponto de Eugênio não lhe desejar e mesmo evitá-la na cama?

    As respostas a essas dúvidas vieram pouco depois. Era meio de semana. Estando Eugênio na prefeitura, às voltas com as importantes questões da cidade, e sem muito o que fazer em casa, Queila Regina decidiu visitar a Igreja Internacional da Conversão Divina. Costumava fazê-lo apenas aos domingos, para participar dos cultos e ouvir os sempre ponderados conselhos do Pastor Roquefélio. Como a grade principal estivesse fechada, entrou pelo corredor dos fundos. Havia movimento na sala da administração. Andou até ela e, sem se anunciar, abriu a porta de vez. Lá estava o marido nos braços da Missionária Redenção, esposa do pastor e sua imediata na igreja. O susto só não foi maior que o ódio. Partiu para cima dos dois, furibunda, arrancando-lhes cabelos e pedaços de pele à unha. Cenas terríveis. Gritos. Sopapos. Xingamentos. Possessa, tomada de uma raiva incontrolável, e movida por uma força que nem ela supunha, Queila Regina seria capaz de matar um dos dois – ou os dois – caso estivesse de posse de uma arma. Eugênio acertou-lhe um soco no olho que a deixou sem forças. Arrastou a esposa até a casa, trancou-a no quarto e a fez jurar que esqueceria o que vira, para o bem da família, e em respeito à reputação dela própria, de Eugênio e da igreja. Não imaginava, porém, o quão insubordinada Queila Regina era capaz de ser. Recomposta do soco no olho, procurou a Missionária Redenção e, sob ameaças de revelar a traição ao Pastor Roquefélio, obrigou-a a contar os detalhes do que acabou sabendo ser um relacionamento de muitos anos. Missionária Redenção e Eugênio encontravam-se às escondidas desde o início do noivado dele com Queila Regina. Havia mais: ele comprara casa para outra amante em Jardineira, talvez até tivesse filhos com ela, conhecida apenas pela alcunha de "Filial". Queila Regina não pensou duas vezes. Levou consigo Suzi e Sueli à cidade vizinha, e lá não apenas localizou a dita Filial, como dela ouviu o quanto quis sobre mais um relacionamento amoroso mantido por Eugênio. Filial, em verdade, chamava-se Maria do Amparo, antiga funcionária da loja e hoje gerente da Magno Panos, Forros e Aviamentos em Jardineira. Era mãe de Ulisses e Gioconda, de treze e nove anos, respectivamente, filhos dela com Eugênio Fluorêncio Magno, esposo de Queila Regina, prefeito do Araribóia.

Foi a única vez que Queila Regina esteve com Maria do Amparo. De volta ao Araribóia, esperou o marido chegar em casa após o expediente na prefeitura. Bastou Eugênio atravessar a porta para a esposa, aos berros, despejar sobre ele todas as verdades que descobrira em Jardineira. Eugênio manteve-se imóvel e em silêncio. Só reagiu quando Queila Regina lançou em sua direção um pesado jarro de prata que estava sobre a mesa de jantar. Atracaram-se na sala. Rolaram pela sala. Sobraram socos, pontapés, puxões de cabelo, cusparadas – e muitos palavrões. Eugênio havia imobilizado a esposa no chão. Usava as próprias pernas para prender os braços de Queila Regina e escapar das suas unhas. Foi quando, despertado pelos gritos da irmã, Genésio apareceu na sala. Tremia, babava, movia-se de um lado a outro. Parecia transtornado. De repente, arrancou da parede um punhal chinês, presente de casamento de Everildo, o dono da Gráfica A Missão, retirou a bainha e arrastando a perna manca, cravou a lâmina nas costas do cunhado. Uma, duas, três vezes. E outras vezes mais, alheio aos apelos de Queila Regina para que parasse. Houve tanto ódio nos ataques de Genésio que, durante a autopsia, foi impossível aos legistas precisar quantas golpeadas Eugênio recebera. O assassinato do prefeito pôs o sertão do Araribóia de cabeça para baixo, deflagrando as mais terríveis ondas de ódio contra Queila Regina, a agora cruel e indigna filha do saudoso Abimael.

Sem saber o que fazer, e para livrar o irmão da cadeia, o primeiro impulso de Queila Regina foi assumir o crime. Não chegou a calcular o resultado que aquela atitude provocaria em sua vida. E assim se passaram os acontecimentos: Eugênio Fluorêncio Magno foi enterrado com as mais elevadas honrarias municipais; o Deputado Rozelito e o próprio governador apareceram para o funeral. A vereadora Rosa Chá, presidente da Câmara

Municipal, tornara-se a primeira mulher na história da cidade a assumir o comando da prefeitura do Araribóia. Suzi e Sueli fizeram um último favor a Queila Regina, odiada pela cidade e também por elas: internaram Genésio no Abrigo Municipal de Jardineira, onde o surdo-mudo morou até o dia em que fora encontrado morto, boiando num pequeno açude nos fundos do prédio.

Queila Regina foi indiciada por assassinato e levada à Cadeia Pública de Jardineira. Na despedida, um grupo de moleques magros e sem camisa atirou pedras e paus no camburão da polícia que a levou embora pela estrada empoeirada. A Cadeia Pública seria a nova moradia de Queila Regina até o dia do julgamento, sem data prevista para acontecer. Depois de condenada, conforme previam os araribonienses, haveria de ser transferida ao Presídio Feminino da Capital e lá cumpriria pena até o fim.

– Deve pegar uns trinta anos – disse, ainda incrédulo, o Pastor Roquefélio.

Agarrada ao marido, em choque, a Missionária Redenção completou:

– É falta de Deus no coração!

Queila Regina só parou para refletir no que se passara depois de atravessar a guarita principal da Cadeia Pública de Jardineira. Foi quando, enfim, conseguiu chorar, culpando-se e odiando-se, desejando a morte de todos e a dela própria. Não dormia, não comia, não falava. Emagreceu, perdeu o viço. Nem para o banho de sol ela deixava a cela minúscula, escura e fedida. Àquela altura, destruída, solitária, sentindo-se abandonada, já não invocava o Deus a quem adorou, tampouco seguia acreditando nos valores que formaram o seu caráter. Família, casamento, fé, amor. Nada disso, agora, fazia sentido para Queila Regina. Experimentou um rancor jamais imaginado e um desejo incontrolável de vingança. Odiava a todos, todos os dias, todas as horas – sobretudo a Vidente Manoela, a "cigana do copo d'água", a bruxa cujos poderes malignos, satânicos, empurraram Queila Regina para o buraco onde se encontrava. Não tivesse entrado naquela tenda, sentado ante aquela mesa, perdido tempo com as tais profecias, talvez o resultado não fosse aquele. Talvez agora não estivesse presa, enjaulada, à espera de julgamento, às vias de ser condenada por um crime cometido não por ela, mas pelo irmão. Ah! Pudesse, Queila Regina estrangularia a Vidente Manoela. Pudesse, torceria o pescoço da cigana sem pena ou piedade. E por esse crime, sim, valeria a pena estar presa. Ver a maldita bruxa contorcer-se até morrer esganada, asfixiada, compensaria cada segundo naquele inferno.

 Foram meses amargando ódio e tristeza. Queila Regina só começaria a resignar-se tempos depois, quando se aproximou daquela que se tornaria amiga e, num futuro próximo, parceira de aventuras. Batizada Maria Domingas das Dores, foi pelo apelido de guerra, Dodó Amor Sem Fim, que a gigante prostituta se tornou conhecida. Famosa, além do porte incomum, pelo destemor e pela força descomunal, Amor Sem Fim comandava as internas da Cadeia Pública. Era ela quem criava e fazia cumprir as regras, escolhia e determinava o espaço de cada uma nas celas, além de organizar os banhos de sol e de cuia, a ordem da distribuição das refeições. Estava presa há três anos. Havia estrangulado o colono de uma fazenda nas Ingazeiras, depois de o infeliz ter se recusado a pagar o valor cobrado por um programa e, para piorar, ter-lhe acertado um soco na boca. Amor Sem Fim e Regininha Pingueluda, seu braço direito, planejavam escapar da Cadeia Pública em breve. Aproveitariam a troca da guarda, na noite de Natal, quando o local ficaria menos vigiado e, então, fugiriam pulando a cerca de arame farpado que corria em volta do pátio. Queila Regina tomou parte nos planos. Já não tinha o que temer ou perder desde que cruzara aqueles pesados portões de ferro. A fuga teria sido um absoluto sucesso se, depois de terem pulado a cerca, um dos soldados não tivesse derrubado

Regininha Pingueluda com um tiro de rifle nas costas. Amor Sem Fim e Queila Regina abandonaram o corpo da companheira e se embrenharam na caatinga. Foram duas semanas escapando da insistente perseguição dos soldados de Jardineira até alcançarem os limites do município de Curralinho. De lá, marcharam para Oliveiras, Três Marias e Redenção. E quando já lhes faltavam forças, destruídas pelos galhos e espinhos, acabadas de sede e fome, quase sem roupas, aportaram no Julião. Se arrastaram, então, para o estado vizinho, escondidas num vagão do trem de ferro que saíra da estação do Gravatá com destino à Filadélfia. Seguiram para mais adiante, para a Serra do Capelão, depois Maria Torta, Alevante, Subaúma, atravessando o Rio Moçoroca, muito além de onde cães farejadores e soldados pudessem encontrá-las.

Erraram de vila em vila, povoado em povoado, até chegarem ao arranchado dos ciganos na distante Alagoas. Corria o boato de que um novo garimpo começava a ser formado por aquelas bandas. Amor Sem Fim e Queila Regina ali se estabeleceram. E foi naquelas longínquas terras das Alagoas, tanto tempo depois de deixar a cidade natal num camburão da polícia, acusada de assassínio, cuspida e xingada por moleques de rua, que Queila Regina, enfim, conheceu um homem. Celebrada com cachaça pura e muitas gargalhadas, a aguardada e explosiva primeira vez de Queila Regina lhe rendeu o apelido pelo qual, a partir daquele momento, passou a ser conhecida: Rita Quebra-Cama. Fora rebatizada por Amor Sem Fim, que também mudara de alcunha: Dolores Tranca Tudo. Orientada nos mínimos detalhes, Rita Quebra-Cama fez vida ao lado da amiga e professora, sem culpa e sem lamentos, as duas atendendo aos garimpeiros que desembarcavam de várias partes do sertão atraídos pelos rumores do ouro que, segundo contavam, aparecia no leito dos rios, nas bateias, nos olhos d'água, com a maior facilidade. Não demorou e o arranchado dos ciganos das Alagoas virou uma pequena vila sertaneja, com variados tipos de gente e das mais variadas procedências. Para lá acorreram outras putas, médicos sem diploma, boticários, barbeiros, protéticos, larápios, enganadores de toda sorte. Pouco tempo depois, havia mais moradores que a população de algumas cidadezinhas próximas. O ouro fazia o dinheiro circular; assim surgiram as primeiras casas de prostituição, menos precárias que as fétidas tendas onde se despachavam os clientes. Juntando o que apuravam nos dias e noites de muito trabalho, Dolores Tranca Tudo e Rita Quebra-Cama mandaram erguer uma pequena tapera com dois quartos, salinha e banheiro, local conhecido, mais tarde, por Rancho das Meninas.

Mas a carreira de Rita Quebra-Cama no ofício da prostituição, embora demonstrasse forte potencial para deslanchar, duraria pouco. Quando a população em volta do novo garimpo já passava das centenas de acampados, e a necessidade de diversão se fez maior, lá aportou o afamado Circo de Zé Gatinha. Vinha de uma longa jornada pelos sertões, com sua lona aos farrapos e a comitiva de artistas reduzida a mais da metade. Já não havia a alegria de Assum Preto, um dos Palhaços Irmãos; morreram ele e a Mulher Gorila, Palmira, vítimas da maleita; o Mágico Vladmir amigou-se meses antes com James Argentino, o Engolidor de Facas, e montaram uma trupe própria. Zé Gatinha só não abandonara de vez a vida circense naqueles duros tempos de penúria porque conseguira manter consigo, não sem dificuldade, o Fabuloso Rixarde, mais magro e sempre faminto, e a enigmática Vidente Manoela. Eram eles que ainda sustentavam o antes espetacular e agora decadente Circo de Zé Gatinha, devorado pela concorrência das muitas lonas e pelas reduzidas plateias. Mesmo que se encontrasse na bancarrota, a companhia seguia despertando curiosidade, conquanto pouco lembrasse os bons tempos, áureos tempos de fartura, casa cheia e filas gigantescas. Preservava alguma dignidade, porém. Não à toa a notícia da chegada dos artistas correu o mundo em volta e a estreia foi aguardada pelos garimpeiros com bastante ansiedade. Bilheteiro vestido nos conformes, arquibancadas sem pregos soltos, pipoca cheirosa e de qualidade. E o velho rugido do Fabuloso Rixarde a atrair os curiosos.

– O único que já devorou seis pessoas! – garganteava o Gigante Sete Palmos, agora também domador e animador de plateia.

Rita Quebra-Cama atendia a um garimpeiro no Rancho das Meninas quando recebeu a notícia da chegada do circo. Foi impossível, pois, evitar que a boca secasse, as pernas tremessem e o calafrio nascido na espinhela se espalhasse pelo corpo inteiro. Fazia cinco anos desde aquela noite estrelada, com brisa fresca e cheiro de pipoca no ar. Naquela fatídica noite, cinco anos antes, recebera da Vidente Manoela as previsões sobre o destino que a aguardava. Não foram poucas as vezes, em todos aqueles anos, que relembrara as palavras da bruxa, as visões através do copo d'água, os terríveis acontecimentos que se deram. Questionara-se quanto ao que teria ocorrido caso tivesse escutado as profecias e rompido o noivado com Eugênio Fluorêncio Magno. Incontáveis vezes ela se culpou por não ter acreditado, não ter dado crédito às palavras da cigana; cega de medo e de fé, sem querer acreditar em nada do que fora dito, ignorou os avisos daquela que, à época, lhe parecia uma impostora sem poderes de vidência. Eis que o destino se encarregava de trazer a Vidente Manoela para perto de onde está Rita Quebra-Cama. Mas só agora, rememorando essas coisas, ela se recordava do que também dissera a cigana naquela ocasião:

– "O destino te trouxe. E vai trazer uma segunda vez."

Desse modo procedeu o destino. Na noite de estreia do Circo de Zé Gatinha no arranchado das Alagoas, tomada por curiosidade maior que medo, Rita Quebra-Cama foi até o local onde a lona tinha sido montada. As arquibancadas já estavam cheias.

Ela se esgueirou pelos fundos e caminhou no escuro até a tenda da Vidente Manoela. A cigana acabara de colocar o microfone por baixo do turbante. Estava envelhecida, muito mais magra e cega de um olho. Mas bastou Rita Quebra-Cama atravessar as cortinas para ser reconhecida.

– A senhora de novo... – disse a vidente.

– Lembra de mim? – Rita Quebra-Cama admirou-se.

A cigana riu. Fez sinal para que ela se sentasse.

– Estou velha, cansada, cega de um olho. Mas ainda vejo muito.

Silêncio. Rita Quebra-Cama palpitava. A Vidente Manoela continuou.

– Esse é o lugar onde nasci. Saí daqui aos doze anos, correndo do meu destino. Agora estou de volta.

– Voltou por quê?

– Por que a gente empurra para frente, mas não foge do destino. Mais cedo ou mais tarde, ele vem e agarra a gente.

Mais silêncio. Rita Quebra-Cama perguntou:

– E a senhora fugiu de quê?

– Fugi do medo. Mas o medo sempre esteve comigo. Quanto mais eu fugia dele, por todo esse sertão, mais ele estava perto de mim.

Rita Quebra-Cama tentava compreender o que havia por trás daquelas palavras enigmáticas, pronunciadas em tom de desabafo. Sentiu pena da vidente. Mas não demonstrou. Ou talvez tenha demonstrando no olhar aquebrantado, no movimento dos lábios, na leveza das palavras.

– Eu vim aqui, depois desse tempo todo, para me desculpar. Chamei a senhora de impostora, de charlatã. Mas quem estava certa mesmo era a vidente. Certa o tempo todo.

– Não precisa se desculpar. Eu vi o que o copo me mostrou. Só isso.

– E continua vendo muita coisa?

A Vidente Manoela passou a mão sobre o copo num gesto automático.

– Vejo muito ainda. Dizem que, quanto mais perto do fim, mais cresce o nosso dom.

Rita Quebra-Cama ficou calada. Depois se levantou.

– Vou embora.

A cigana consentiu com a cabeça e um sorriso sincero. Encerrou dizendo:

– Não se aflija achando que tudo seria diferente se a senhora tivesse feito as coisas de um outro jeito. Talvez sim, talvez não. Certeza, mesmo, só uma: cada qual carrega sua sina.

Despediram-se. Rita Quebra-Cama saiu da tenda. Sentia-se estranhamente aliviada. Parecia até feliz. Não foi embora, contudo. Aproveitando um buraco na lona, entrou e sentou-se num canto mais ao fundo. A plateia delirava com o Fabuloso Rixarde sendo atiçado pelo Gigante Sete Palmos. O domador arrancava gritos da multidão ao provocar os urros do animal mostrando-lhe um naco de carne sangrenta. Quanto mais agitado o leão, mais excitada a plateia. A apresentação terminou e a jaula foi levada para os fundos do picadeiro. Chegara a vez da Vidente Manoela. A cigana entrou em cena sem o ruído dos atabaques ou o rebolar dos dançarinos em trajes africanos. Foi precedida, tão somente, pelo rufar de uma bateria aos frangalhos. Seguiu-se o ritual de sempre: alguém nas arquibancadas levanta a mão, vem até o centro do picadeiro e a cigana espia o futuro do corajoso no copo d'água. Dessa vez foi um garimpeiro escuro, carapinha grossa e muitos anéis, correntes e alguns dentes de ouro. Enquanto a cigana se concentrava nas visões, ouviam-se os rugidos, o fungar e o barulho do Fabuloso Rixarde alvoroçado por trás das cortinas de chita colorida. De repente um estridente estalar de ferros. O Gigante Sete Palmos gritou:

– Cuidado! O bicho escapuliu!

O leão invadiu o picadeiro e a multidão começou a correr desesperadamente. Naquela agonia, parte das arquibancadas despencou com violência. Homens e mulheres caíram no chão. O pânico era geral. O garimpeiro com dentes de ouro saltou feito um gato e conseguiu livrar-se das garras do leão. Rita Quebra--Cama, já pronta para fugir dali, parou no exato instante em que o Fabuloso Rixarde pulava em cima da Vidente Manoela. Ela não tentou escapar. Apenas cobriu o rosto com as mãos. O leão cravou as presas no pescoço fino e arrastou o corpo da cigana em volta da arena. Jatos de sangue lavaram o picadeiro. Zé Gatinha e o Gigante Sete Palmos tentaram acudir, mas o Fabuloso Rixarde partiu em disparada. Embrenhou-se na caatinga levando consigo, enganchada nas poderosas presas, e ainda viva, sua sétima vítima fatal, a enigmática, a misteriosa, a incomparável Vidente Manoela.

Três dias após a tragédia, o Circo de Zé Gatinha levantou lona mais uma vez. A trupe, muda e desolada, tornou a juntar os cacarecos e partiu silenciosamente e sem destino certo. Mas agora conduzia uma nova integrante: Queila Regina, dita Rita Quebra-Cama.

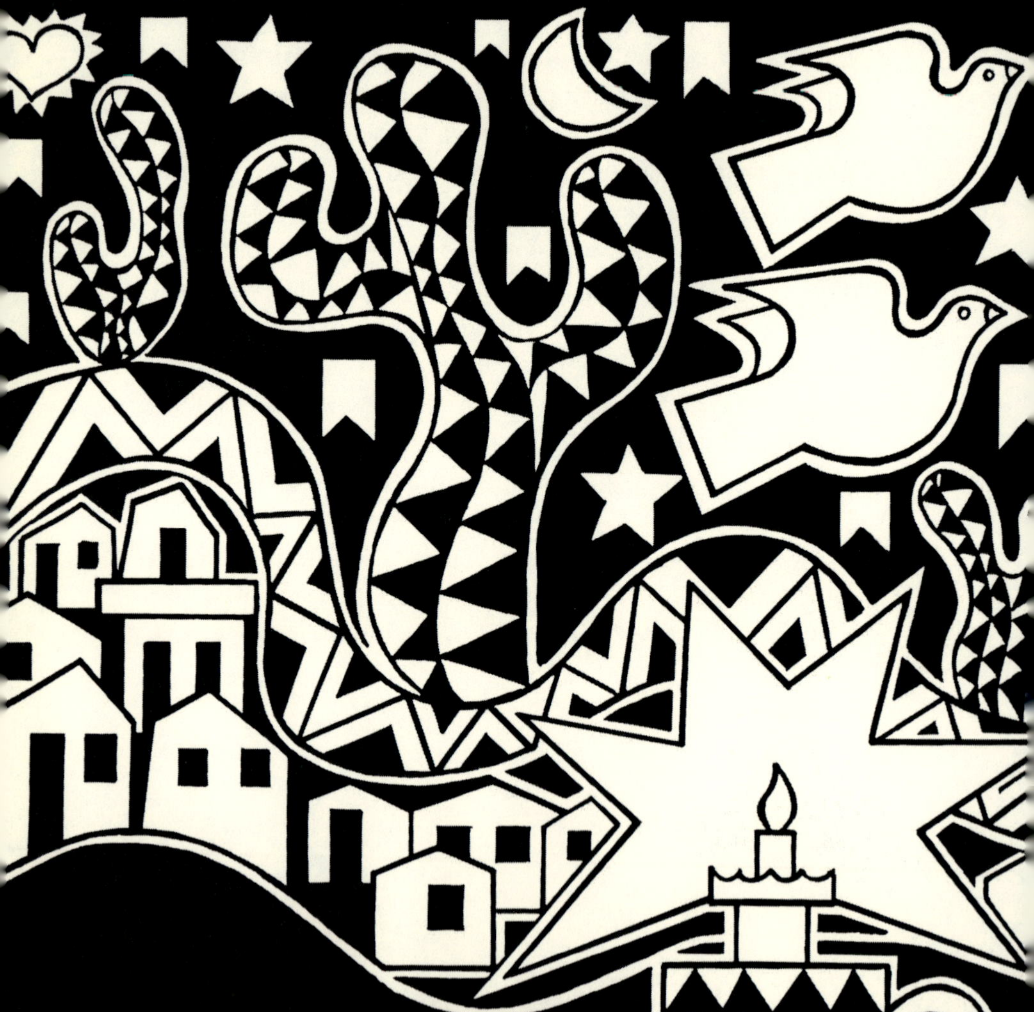

O encantador de pássaros

Os apitos de Gil Capanga eram famosos no Sertãozinho. Imitavam perfeitamente o arrulho da pomba-rola e o canto do araquã-pintado, o piado do inhambu-açu e o da desconfiada codorniz, além dos nambus e marrecões que zanzavam entre raízes das árvores às margens do São Francisco. Fabricá-los era seu passatempo predileto. Gil Capanga dispensava horas de folga debaixo da jaqueira centenária, no terreiro da fazenda D'Almeida, desbastando, cortando, raspando, furando e lixando os pequenos pedaços de madeira com a habilidade de um artesão. Formões, paquímetros, um torno e outras inúmeras ferramentas auxiliavam-no na feitura dos miúdos corredores por onde o ar entraria para, depois, vazar do outro lado, simulando o ruído característico de tantos pássaros quanto desejasse reproduzir. Alguns apitos, os mais trabalhosos e sofisticados, traziam dentro de si pequenos trinadores, responsáveis por quebrar o som numa melodia ainda mais agradável. Eram os preferidos de caçadores e mateiros. O resultado, de tão perfeito, garantiu a Gil Capanga o apelido de "encantador de pássaros". E assim, de fato, se considerava. Usava os apitos para enfeitiçar os pássaros e trazê-los para perto de si, sem jamais capturá-los. Seu maior prazer era vê-los atender ao chamado, dóceis, mansos, como se estivessem verdadeiramente tomados por um encanto, e admirá-los à curta distância, quase ao alcance das mãos, para logo depois vê-los partir, novamente libertos da magia dos apitos.

– Vai-te embora, filho de Deus! Segue teu rumo... – dizia o encantador de pássaros.

Nos últimos tempos, todavia, Gil Capanga dedicava-se a desenvolver um tipo de apito inteiramente novo, jamais imaginado por quem quer que fosse – nem mesmo por ele, o maior especialista no assunto: um apito que imitaria o mugido das reses. Por um momento, a ideia pareceu absurda, afinal não havia sentido algum em arremedar bois e vacas. Nem o maior e mais valioso dos zebuínos da fazenda D'Almeida, como o touro Domador ou a vaca Miracema, cujas arrobas custavam o mesmo que ouro, seria capaz de emitir berro bonito o bastante para ser contemplado. Pelo contrário. Eram os mesmos mugidos de sempre, comuns a todos os bois e vacas, repetitivos, sem identidade, sem o encanto, por exemplo, do pio da jacutinga, da juriti, do macuco ou, ainda, o delicado canto da zabelê, do meloso chorão ou do tururim. Se não havia, portanto, mugido merecedor de apreço, qual a razão para devotar as horas livres confeccionando um apito capaz de reproduzi-lo?

– Para ajudar os vaqueiros na lida, meu pai. – disse Florípedes.

Colocado assim, de maneira simples e com um bom propósito, o argumento da filha pareceu bastante razoável a Gil Capanga. Um apito que reproduzisse o som de bois e vacas e auxiliasse os vaqueiros na hora de reunir os animais no fim da tarde. Ora, uma boa ideia! Desse certo, pouparia aos vaqueiros da fazenda o esforço diário de correr as terras de manga em manga, subindo e descendo pastos no lombo de mulas e cavalos, à procura dos retardatários, uma ou outra cabeça desviada em meio às centenas que erravam preguiçosamente à procura das aguadas, do capim, da sombra. Acolhida a ideia da filha Florípedes, Gil Capanga começou a atentar às minúcias do mugido, o mais comum entre os sons que escutava na D'Almeida. Era o som típico da fazenda desde o dia em que ele, Gil Capanga, nascera, e a ele estava tão acostumado que há muito não lhe dava importância. Mas nas observações que passara a fazer agora, notou, para a própria surpresa, que havia algo de particular em cada mugido – por mais comum e repetitivo que antes lhe parecesse. Havia um código próprio pertencente a cada animal, um acento diferente no emitir, uma nota que, se comparada àquela existente no canto dos pássaros, poder-se-ia dizer, sem risco de erro, tratar-se dum símbolo de identificação. Assim, Gil Capanga compreendeu, enfim, que o mugido do touro Domador diferia dalgum modo daquele que partia da vaca Miracema e esse, por sua vez, era diferente dos demais. Caberia encontrar em meio aos tons e acentos e notas, que agora soavam diversos entre si, aquilo que fosse comum a todos os mugidos. Só então teria o apito. A esse exercício passou a dedicar-se Gil Capanga, o encantador de pássaros.

Além de exímio fabricante de apitos, Gil Capanga era assaz habilidoso na função de gerente da fazenda D'Almeida. Porém, por razões pessoais, tornara-se mais que um funcionário do primeiro escalão. Tibúrcio, o proprietário, tinha consigo, e sabia disso, o melhor dos amigos que alguém pudesse desejar ou merecer. Companheiro das boas e más horas, tão chegado ao patrão que aprendera a reconhecer seus sinais num simples olhar. Frequentemente adivinhava seus planos, seus intentos, sem nenhuma pergunta lhe fazer. Homem de ideias claras e conselhos arrazoados, ponderando no que, por algum motivo, escapava à atenção do pecuarista. Tibúrcio não tinha dúvida: trazia a seu lado a pessoa mais fiel e correta que conhecera até ali. E essa pessoa, esse homem, o companheiro de tantos anos, o fiel e dedicado amigo era, pois, Gildázio Osório ou, simplesmente, Gil Capanga.

Há trinta anos, Gil Capanga gerenciava os negócios de Tibúrcio na fazenda D'Almeida, município de Sertãozinho, beiras do São Francisco. Era o responsável pela capatazia e tudo quanto dissesse respeito a ela: da limpeza dos pastos aos reparos nas estacas, incluindo a substituição das cercas que serpenteavam a imensa fazenda, a colocação de veneno para carrapatos e formigas, a retirada de tocos e raízes secas de árvores. Gil Capanga cumpria rigorosamente o dever de acompanhar os veterinários na lida com o gado, observando de perto a aplicação das vacinas, os banhos e as escovações do couro, a marcação das reses, uma a uma, com as iniciais do patrão impressas à moda do ferro em brasa, bem como a colocação das anilhas de identificação nas orelhas de cada animal. Por fim, quando vendidos os rebanhos, Gil Capanga planejava o transporte do gado pelas estradas do sertão e só sossegava quando a carga viva era entregue aos compradores, obedecendo aos prazos e com total segurança.

Também ele contratava os vaqueiros, instruindo-lhes quanto ao que deveria ser feito; supervisionava a execução dos serviços nos currais e nos pastos, vigiando se os animais eram bem tangidos, bem alimentados, se estavam protegidos do sol nos dias de muito calor e devidamente abrigados da chuva nos meses de trovoada; atento aos mínimos detalhes, punia os desleixados com a dispensa sumária; os bons trabalhadores, se assim desejassem, recebiam um adiantamento do salário nas sextas-feiras e, ainda, eram brindados com um aguardado galão de cachaça, aguardente das boas, para o tradicional forró na venda de Zulmira Balaiuda nos sábados à noite. Toda essa complexa engrenagem que mantinha a fazenda D'Almeida funcionando plena e lucrativa corria sob os olhos e as ordens do gerente. Em muitas ocasiões, era dele a palavra final – direito conferido por Tibúrcio em razão das inúmeras provas de competência, confiança e amizade que demonstrara ao patrão desde muito cedo.

Gil Capanga e Tibúrcio tinham quase a mesma idade. Nasceram e foram criados naquele canto de sertão. O primeiro era filho de Zinho da Besta, antigo vaqueiro da fazenda; Véio Zinho, como era conhecido, fora o principal ajudante de Policarpo Almeida, pai de Tibúrcio e fundador da D'Almeida. Cresceram, pois, Gil Capanga e Tibúrcio subindo e descendo as terras do Sertãozinho, brincando de tanger o gado, montar cavalo, subir em árvores; aprenderam a nadar no São Francisco, ali pertinho, cem metros de distância, se muito. O medo das águas barrentas e volumosas foi vencido pouco a pouco, no exemplo corajoso dos ribeirinhos que se lançavam do alto das barrancas, livres, soberanos, senhores de si e do rio. A amizade se fortaleceu na adolescência; experimentaram as primeiras paqueras nos dias de feira, nas quermesses da paróquia, nas serestas de Zuzu Balainho, mãe de Zulmira Balaiuda; certa época namoraram as gêmeas Regina Célia e Célia Regina, nos braços de quem descobriram o amor nas noites estreladas do sertão, ouvindo o ranger de barcas e canoas no porto, o canto da acauã enchendo a escuridão.

Estudaram juntos no Grupo Escolar Negra Maria Felipa, única escola em toda a região. Para lá eram mandados crianças e adolescentes em idade de instrução – fossem filhos de fazendeiros, vaqueiros ou lavradores. Misturavam-se ricos e pobres nas aulas da Professora Lili e com ela permaneciam até aprenderem a ler, escrever, fazer contas e conhecer o mapa. Diplomados, assinando orgulhosamente o próprio nome, só então deixavam o Grupo Escolar. Os de família abastada prosseguiriam os estudos na sede do Sertãozinho ou na capital; os demais retornavam às lavouras de mandioca, milho e feijão e à lida com o gado para, tempos depois, esquecerem grande parte do que aprenderam. Ficavam, sobretudo, as deliciosas lembranças das aulas, as tardes quentes de verão conduzidas pela saudosa Professora Lili, exigente na caligrafia, nos ditados, nas operações de somar e diminuir.

Tibúrcio chegou a ser matriculado na escola da cidade, vinte léguas de distância da fazenda, mas de lá voltou fugido inúmeras vezes. Não tinha vocação para os estudos demorados, livros e cadernos de atividades. Seu lugar era a roça; nela aprendera o que sabia da terra, das criações, do trato com os animais. A D'Almeida lhe dera os saberes de que necessitava para tocar os negócios do pai. Cansado de insistir, Policarpo Almeida rendeu-se à certeza de que o filho, exatamente como ele, nascera para a vida no campo. Depois que o velho morreu, e já casado com Clarice

Amendoeira, Tibúrcio tratou de empossar o companheiro no cargo de gerente da fazenda. O amigo era agora seu braço direito, a segunda pessoa mais importante na D'Almeida. E tinham, à época, pouco mais que dezoito anos.

Mais tarde, já com famílias constituídas, Tibúrcio e Gil Capanga selaram a antiga amizade com as bênçãos da Igreja. Juliano, o herdeiro mais velho dos Almeida, foi batizado por Gil Capanga e Dona Rute, a mulher dele. O casal, por sua vez, ofereceu Florípedes como afilhada a Tibúrcio e a Clarice Amendoeira. A relação entre as crianças, porém, nem de longe lembraria a que fora vivida por Gil Capanga e Tibúrcio. Não cresceram juntas nem partilharam das mesmas brincadeiras e experiências, e tão logo atingiram a idade dos estudos, Juliano e as irmãs Rogéria, Robéria e Rosanete foram mandados para a capital. Lá deveriam estudar, se formar, e então, de volta ao Sertãozinho, assumir os rumos da fazenda que afinal seria deles. Florípedes, por seu turno, ficaria na D'Almeida, a exemplo dos pais, não fosse a iniciativa de Clarice Amendoeira em enviá-la à Escola Normal de Sertãozinho.

– É uma mocinha inteligente. Precisa estudar. – argumentava Clarice Amendoeira.

Na cidade, com as despesas custeadas pelos padrinhos, Florípedes concluiu os estudos básicos. Depois, lá mesmo, cursou a Escola Técnica de Medicina Veterinária. Uma vez formada, voltou à fazenda D'Almeida para ajudar ao pai e ao padrinho no trabalho com o gado. Para orgulho de Gil Capanga, a filha tivera papel decisivo na profunda transformação que se operaria na D'Almeida a partir do retorno de Florípedes. Foi dela a ideia de contratar uma equipe de veterinários e especialistas em solo para orientar Tibúrcio quanto à melhor maneira de aumentar a produtividade.

– Pois está certa! O que se aprende nos livros também é de muita serventia. Compadre, manda trazer os homens! – consentiu Tibúrcio.

A assistência técnica, que antes não havia, resultou no melhoramento genético dos animais, através de uma série de ensaios e cruzamentos. As dezenas de cabeças de gado deixadas de herança por Policarpo Almeida evoluíram para zebus de excelente qualidade, os melhores do Sertãozinho para a atividade de corte; os técnicos também ajudaram a potencializar as condições do solo e da água. Incrementaram o sistema de abastecimento e irrigação, aproveitando a pouca distância do São Francisco. Introduziram uma nova variedade de capim, o mulato, excepcionalmente resistente à seca. Também ampliaram o silo e fizeram modificações na ração usada para alimentar as reses nos meses de estiagem. Dessa forma, Tibúrcio multiplicou os rebanhos e se consolidou como o maior pecuarista da região.

Teria, por conseguinte, motivos suficientes para andar sorridente, feliz. Os tempos eram bons e a fazenda prosperava. Há anos não sofria com as longas estiagens nem com as trovoadas que entornavam perigosamente o leito do São Francisco. Estava satisfeito com o desempenho dos técnicos contratados por Gil Capanga e supervisionados por Florípedes, e com os melhoramentos realizados por eles junto ao gado e aos pastos. Tudo, enfim, parecia caminhar como deveria. Mas faltava algo e Gil Capanga bem sabia o quê. Essas coisas todas Tibúrcio confessou ao amigo e compadre: que trazia no peito grande desgosto, que varava noites sem sono, corroído pela tristeza e pela raiva dos filhos, ingratos filhos, do mais velho, Juliano, à caçula, Rosanete. Viviam na capital desde pequenos, quando do início dos estudos primários, e na D'Almeida só apareciam nas férias, duas vezes ao ano quando muito; não gostavam da vida na fazenda, tampouco faziam esforço para gostar. Queixavam-se da falta do que fazer, da total ausência de divertimentos, desdenhando da simplicidade em que viviam Tibúrcio e Clarice Amendoeira, em que pese sua excelente situação financeira. As filhas eram as que mais reclamavam: dos colchões inferiores aos da capital, do chuveiro que não esquentava o bastante, da comida temperada demais para seu paladar refinado, dos chiados na televisão e no rádio, dos terríveis mugidos do gado, logo cedo, a lhes interromper o sono. Eram meses de repetidos queixumes, comparações entre cá e acolá, ansiosas pelo retorno à capital. Lá estavam suas amigas, os namoradinhos da Faculdade de Artes, a vida de verdade, pulsante, agitada. Aquele "fim de mundo" não era, decididamente, o seu lugar. Mas a total falta de interesse do filho, essa sim, doía sobremaneira em Tibúrcio. Juliano nunca se importou com nada que dissesse respeito à D'Almeida – a não ser o dinheiro que recebia dela, como mesada, a cada trinta dias. Sequer parecia ter nascido ali, tamanha a indiferença para com aquelas terras. Quando em férias, passava a maior parte do tempo na sede da cidade, bebendo nos botecos do Sertãozinho, "as espeluncas do cu do mundo", conforme gritava em alto e bom som, ou se enrabichando pelas incautas alunas da Escola Técnica de Medicina Veterinária. Chegava à fazenda quase sempre bêbado, sujo e sem dinheiro, carregado por conhecidos de Tibúrcio, visivelmente constrangidos em conduzir naquela situação deplorável o filho do maior pecuarista do Sertãozinho. Certa feita, estando particularmente entediado nas férias, Juliano foi à venda de Zulmira Balaiuda e comprou toda a bebida disponível nas prateleiras; fez festa ao distribuir a aguardente entre pescadores e lavradores desconhecidos, fora os bêbados de sempre que lá marcavam ponto no forró dos sábados. Mas naquela noite os funcionários de Tibúrcio faltaram ao tradicional arrasta-pé. Não simpatizavam com o filho do patrão, e nenhum deles se sentia à vontade para dividir a cachaça com o herdeiro da fazenda D'Almeida. Ofendido em seus brios e já tendo bebido além da conta, Juliano armou um escarcéu: gritou imprecações ao povo do local, os piores impropérios que aprendera na capital e, por fim, espatifou as muitas garrafas da aguardente contra o casco das rabetas e canoas ancoradas no pequeno cais ali defronte. Noutra ocasião, livrou-se de apanhar graças à pronta intervenção do padrinho. Gil Capanga organizava o embarque duma partida de bois para os lados do Açude Grande quando fora chamado às pressas à sede do Sertãozinho. Encontrou o magrelo Januário, filho do cerealista Abdias, enfurecido e em posição de ataque, a um passo de surrar Juliano, acusado de andar se engraçando para os lados de Alzirinha, a desenxabida namorada de Januário. Escapou da surra, não do vexame. Retornou à fazenda sob vaias e deboches dos que, na praça, torciam para ver Januário acertar as fuças do pedante Juliano:

– Não vai chorar, seu moço! – troçavam.

Tibúrcio vivia às voltas com Juliano. Repreendia-o; ameaçava cortar a mesada e obrigá-lo a retornar, de vez, à D'Almeida. Mas o fato é que não tinha coragem para tanto. Amolecia sempre que o filho prometia mudar, tomar juízo, tornar-se homem de verdade; cedia aos pedidos de uma nova chance, que acabavam por se transformar em outros pedidos de outras novas chances, incontáveis novas chances que, por fim, resultavam em nada. Tibúrcio se recusava a aceitar o que a todos os outros na fazenda e fora dela, no Sertãozinho e mesmo na outra margem do São Francisco, parecia óbvio: Juliano, seu sucessor, não passava dum rapaz mimado, voluntarioso e perdulário, um janota antipatizado pelo jeito arrogante e pelo pedantismo.

O que fazer diante de situação tão delicada? Como proceder? O que ele, Gil Capanga, amigo do bom conselho, sempre equilibrado no juízo, faria se estivesse na pele de Tibúrcio? Forçar o estabelecimento do filho na fazenda não daria resultado ou, pior ainda, talvez surtisse o efeito contrário ao que se queria. Era preciso encontrar meio que o fizesse se interessar pouco a pouco pelo serviço na roça, pela lida com os zebus, de modo que, sem perceber, fosse abraçando os negócios do pai. Então, quando menos esperasse, Juliano estaria completamente afeito aos assuntos da D'Almeida. Gil Capanga, como de costume, sinalizou a saída para o dilema vivido pelo compadre.

– O compadre precisa dar poder ao menino.
Tibúrcio fez cara de quem não havia entendido. Gil Capanga prosseguiu:
– Sim, senhor. Precisa dar poder a ele. Deixar que tome decisões importantes. Fazer com que se sinta mais do que apenas o filho do pecuarista rico. Entendeu?
– Poder a Juliano? Se faço isso, ele acaba com tudo em dois tempos...
Gil Capanga trazia um apito diferente nas mãos. Trabalhava pacientemente no minúsculo pedaço de madeira. Aquele apito, corresse tudo certo, seria o primeiro a reproduzir um mugido. O gerente da D'Almeida olhava atentamente para o buraco na peça, cavoucando com uma pequena lâmina a abertura por onde o ar passaria. Fez uma pausa. Abriu o alforje que trazia ao lado e dele tirou outras dezenas de apitos já prontos, de vários tipos e tamanhos e cores. Mostrou-os ao amigo Tibúrcio.
– Pois o compadre veja bem. O que são esses apitos? Me diga. O que são eles?
Tibúrcio não respondeu. Ficou a olhar Gil Capanga sem compreender onde pretendia chegar. O gerente continuou.
– O que são eles? Eu lhe digo. São apitos. Apenas apitos. Nada além de apitos. Todos feitos da mesma madeira, a umburana, que é a melhor madeira para se manusear. Do mesmo pé de umburana eu faço esses apitos todos. O da jacutinga, da juriti, do chororó, do jacu-pemba. Veja bem o amigo: são todos da mesma madeira, mas cada um tem um som próprio. Repare bem no que digo.
Gil Capanga soprou nalguns apitos. Os sons se espalharam pelo ar. Logo alguns pássaros responderam da mata. Tibúrcio já conhecia aqueles apitos. Ele e todo o Sertãozinho. Não havia, aliás, quem desconhecesse naquelas bandas o poder do encantador de pássaros e dos seus apitos tidos como mágicos.

– Não entendo onde o amigo quer chegar. – confessou Tibúrcio.

Gil Capanga voltou a guardar os apitos no alforje. Prosseguiu:

– Se todos são feitos da mesma umburana, e se em todos eles eu uso essa mesma laminazinha aqui, o mesmo torno, o mesmo lixador, o que faz um som ser tão diferente do outro?

E antes que Tibúrcio pudesse pensar numa resposta, Gil Capanga foi adiante:

– Simples, amigo: é o tratamento dado à madeira. É o jeito de manusear cada diferente pedacinho da umburana. Para cada tipo de som que se deseja, um acabamento diferente, um buraco maior ou menor, mais largo ou mais estreito. A madeira é a mesma. O que muda é o jeito de lidar com ela. Entendeu?

Tibúrcio fez que sim.

– Meu compadre Capanga está sugerindo que eu passe a tratar Juliano de forma diferente?

– Exatamente. Ele está acostumado ao mesmo tratamento, a ter tudo nas mãos. Por isso não reconhece o valor do vosso esforço, do vosso sacrifício mais o da comadre Clarice. Dê poder a ele. Faça com que ele se sinta importante. Quem sabe assim ele não muda?

Tibúrcio fez silêncio. Tirou o chapéu da cabeça e cofiou os cabelos encaracolados. Era como se, compreendendo as palavras de Gil Capanga feito um jogo de quebra-cabeças, juntasse peça por peça para chegar ao sentido final. Depois da longa pausa, disse, enfim:

– O amigo tem razão. Tirar dele a mesada fácil e certa e fazer com que mereça um salário honrado. Isso está certo, amigo. Só tem um problema: dar poder a Juliano, como o compadre sugere, significa dar uma ocupação também. Mas o compadre sabe tanto quanto eu que o danado não quer conta com a fazenda!

Gil Capenga terminava de cavoucar o apito. Soprou as raspas da umburana. Emendou:
– E quem disse que precisa ser aqui na fazenda?
– Onde mais seria, afinal, compadre? Só tenho essa fazenda aqui! – riu Tibúrcio.
– Quem sabe não é chegado o momento de o compadre tocar o projeto do frigorífico?
Os olhos de Tibúrcio se iluminaram. "O projeto do frigorífico!" – pensou. E sorriu contente para Gil Capanga. O gerente fazia por merecer a confiança e o respeito que o fazendeiro lhe devotava. Possuía a capacidade incomum de enxergar além dos problemas, muito mais adiante, sempre um passo à frente do próprio Tibúrcio. Era a solução ideal!
– Que seria de mim, compadre Capanga, não fosse você?! – disse ele.
O projeto do frigorífico era ideia de Tibúrcio. Aliás, um sonho antigo, desde a época em que assumira a D'Almeida no lugar do falecido pai. Nasceu de uma demorada inspeção nos matadouros da região: no próprio Sertãozinho, em Aruarama, nas Dorotéias e em Berlinque. Chegara perto do Talhadinho, já onde o São Francisco vertia na direção do mar. Todos, sem exceção, pocilgas da pior espécie. Velhos, mal-ajambrados, asquerosos. Não havia preocupação com higiene nem cuidado com o abate dos bois. Os animais eram acuados num corredor fétido, sugestivamente apelidado de "o corredor da morte", e nele recebiam uma poderosa porretada na fronte. Poucos morriam na hora. A maior parte estrebuchava no chão imundo, agonizando até que fosse sangrada pelos magarefes. Moscas e cães rondavam por perto, disputando sobras de gordura e ossos. Depois de retirado o couro e destrinchada a carne, as peças, como eram chamados os animais abatidos, seguiam em carroças precárias para os açougues. Tibúrcio tinha pavor àquele espetáculo de morte. Contraditoriamente, o maior criador de gado para corte

do Sertãozinho apiedava-se dos animais a caminho do abate. Se pudesse, acabaria com aquele método bárbaro. Mas o projeto do frigorífico começou a ganhar corpo, efetivamente, numa das visitas que ele e a esposa fizeram aos filhos na capital. Juliano, Rogéria, Robéria e Rosanete estavam finalizando os estudos médios e já se preparavam para ingressar no ensino superior. Ele cursaria administração de empresas; as irmãs, por sua vez, fariam artes, conforme desejavam, na renomada Faculdade de Artes. Na capital, Tibúrcio reencontrou o amigo Gorgônio Agnelo, dono da Linha de Ônibus Nossa Senhora da Luz, a única empresa de transporte rodoviário a servir ao Sertãozinho. Convidado por Gorgônio, Tibúrcio fora conhecer o Frigorífico Carne Verde, propriedade de um parente do empresário de ônibus. Ah! Difícil conter o deslumbramento diante daquela beleza de lugar! Dava gosto andar por corredores iluminados e refrigerados, tão limpos e tão alvos que, muitas vezes, Tibúrcio viu a si mesmo refletido na brancura dos azulejos. Tudo impecável. Desde as roupas, toucas, máscaras e botas e os oculozinhos que usavam, obrigatoriamente, até os demais cuidados com higiene, segurança. Não havia barulho e quase não se ouviam as vozes dos funcionários.

– Para não estressar os bois – sussurrou Gorgônio.

As novidades, sem exceção, impressionaram a Tibúrcio. Nada, porém, deixou-o tão incrivelmente admirado quanto a Sala de Abate. Um amplo salão com grandes refletores, piso de metal e pequenos chuveirinhos que despejavam finíssimos jatos d'água. Os animais adentravam à sala por um longo corredor, também de metal; antes, porém, num outro espaço, eram devidamente higienizados com jatos de mangueira, desinfetante apropriado e escovões. E quando entravam definitivamente na Sala de Abate, recebiam uma descarga elétrica tão forte e tão rápida que observadores desavisados, se piscassem os olhos, sequer notariam o momento exato do choque. Depois, os animais eram transferidos para a próxima sala numa potente esteira rolante; procedia-se a retirada do couro, cabeça, patas, rabo, vísceras. A carne recebia um carimbo da inspeção sanitária e, só então, era direcionada em ganchos de aço que corriam através de trilhos para as inúmeras câmaras frigoríficas à baixíssima temperatura. Lá ficaria refrigerada até o momento de seguir em caminhões, também refrigerados, para açougues da própria capital e de muitas outras cidades.

Tibúrcio voltou à D'Almeida decidido a tocar o projeto do frigorífico em Sertãozinho. Mas só agora, alguns anos após a visita ao Frigorífico Carne Verde, aquele sonho começaria a ser executado. Levara mais tempo que o desejado pelo pecuarista, em razão dos episódios envolvendo Juliano, sua indisciplina, a resistência em se acercar das coisas da fazenda. Contudo, sendo de maior e tendo finalmente concluído os estudos na Escola Superior de Administração, mesmo que aos trancos e barrancos, não mais existia motivo para postergações. O compadre Gil Capanga estava com a razão: Tibúrcio daria poder ao filho. Mas um poder controlado, limitado.

O pecuarista decidiu, depois da conversa e dos conselhos de Gil Capanga, que incumbiria Juliano de tratar das questões do frigorífico na capital. Deveria procurar os órgãos públicos estaduais e federais, a fim de providenciar as licenças necessárias, bem como estudar cuidadosamente as condições para a correta implantação do empreendimento em Sertãozinho; seria o responsável por encontrar fornecedores de insumos e equipamentos, os melhores disponíveis no mercado, e com eles assinar contratos. Teria carta branca para fechar negócios, contanto que mantivesse o pai rigorosamente informado das suas decisões e prestasse contas semanais sobre o andamento das operações. Essas seriam as condições impostas para que Juliano fosse merecedor da confiança e do talão de cheques do pai. Um excelente plano. Sem dúvida.

Tomadas essas decisões, marcou-se a viagem à capital para que Juliano fosse devidamente comunicado. Tibúrcio estava excitado. Era chegado o momento de começar a executar o projeto do frigorífico. Ansiava em ver a documentação pronta, os materiais comprados, as obras sendo tocadas. Já conseguia imaginar a placa pendurada na fachada, letras grandes e coloridas, luzes acesas à noite, e o nome pomposo avistado de longe: FRIGORÍFICO D'ALMEIDA. O velho Policarpo Almeida haveria de se orgulhar do filho e, quem sabe, também do neto. No dia do embarque para a capital, Tibúrcio e Clarice Amendoeira despediram-se de Gil Capanga. O gerente lhes desejou boa sorte. Ficaria na torcida para que tudo corresse bem e que de lá voltassem com boas novas sobre o projeto do frigorífico. Tinha certeza: Juliano aprovaria, sem restrições, os planos do pai. O casal pegou, enfim, o caminho do Sertãozinho, onde tomaria o transporte da Linha de Ônibus Nossa Senhora da Luz.

Tudo se passou rapidamente. Numa das curvas da estrada, já depois do Córrego das Bestas, onde começava a Serra dos Pombos, conhecida, aliás, pelo perigo que representava, principalmente nos dias de chuva, o motorista perdeu o controle da direção e o ônibus da Nossa Senhora da Luz despencou ribanceira abaixo. Rolou inúmeras vezes até se espatifar numa rocha plantada no pé da montanha. Pedaços do veículo foram localizados a trinta metros do local do choque. Morreram todos os sete ocupantes – entre eles o condutor e seu ajudante, Olivinho Prazeres e Tobias de Nenca. O corpo de Clarice Amendoeira foi encontrado horas depois; estava caído por trás de touceiras de canela-de-ema; já o de Tibúrcio ficara enganchado entre os ferros retorcidos do ônibus.

– Mortes instantâneas. Não tiveram tempo de sentir as dores. – garantiu, consternado, o delegado Francisco Brongo.

Foram dias difíceis os seguintes. A dolorosa notícia transmitida aos filhos do casal, a sua vinda apressada à fazenda, os preparativos para os enterros. Velório e sepultamento demoraram além do recomendado pelo serviço funerário, em razão da quantidade de conhecidos, fornecedores, clientes da D'Almeida que chegavam de todas as partes. Gorgônio Agnelo viera da capital para oferecer apoio às famílias dos mortos e acompanhar as investigações do acidente com o veículo da sua frota. Ofertou ricas coroas de flores, com dizeres escritos em faixas brancas e douradas; aos filhos de Tibúrcio e Clarice Amendoeira, além das condolências em nome da Nossa Senhora da Luz, revelou a suspeita da perícia: Olivinho Prazeres, o motorista, talvez tivesse cochilado ao volante, no que foi endossado por Francisco Brongo. Houve grande comoção e multidões partiram dos mais distantes rincões do Sertãozinho para as despedidas ao casal. Gil Capanga, profundamente impactado, e Dona Rute, ajudados por Florípedes, tiveram que organizar compridas filas na sede da fazenda. Caso contrário, seria impossível fechar os caixões e proceder ao enterro no prazo limite estabelecido pelos legistas. Os corpos foram conduzidos, por fim, da D'Almeida ao cemitério do Sertãozinho numa muda procissão. Cortava o coração tamanho desespero das filhas. Rosanete desmaiara e não acompanhou o momento em que os caixões desceram ao túmulo onde pai e mãe foram sepultados – um ao lado do outro. Juliano, por sua vez, manteve-se calado a maior parte do tempo. Gil Capanga viu-o chorar uma ou duas vezes.

Rogéria, Robéria e Rosanete retornaram à capital três dias após o enterro. Estavam as três amparadas pelos respectivos namorados. Juliano permaneceu na fazenda por mais quinze dias. Quando inquirido pelo padrinho sobre os rumos que tomariam, dali em diante, respondeu em poucas palavras:

– Ainda estou decidindo.

Juliano não adiantou os planos, mas Gil Capanga suspeitou que o afilhado desejava vender a fazenda. Antes de viajar de volta à capital, Juliano mandou que o padrinho inventariasse tudo quanto havia na D'Almeida. As cabeças de gado, os lotes exatos de terra, a extensão das cercas e a quantidade das estacas, o estado dos poços e aguadas, bem como as condições do sistema de irrigação e abastecimento; também dera ordens para que aprontasse relatório detalhado sobre os trabalhadores, dos efetivamente contratados pela fazenda, a exemplo dos vaqueiros, aos prestadores de serviços, como carpinteiros, ferreiros, técnicos em solo e veterinária. Desejava saber as funções e quanto ganhava cada um; também determinara levantamento completo sobre a frota de caminhões boiadeiros, o tempo de uso de cada veículo; a situação do silo, dos currais e cavalariças, o rancho onde eram guardados insumos e ferramentas, sem esquecer, evidentemente, quem eram, onde residiam e os termos dos contratos com fornecedores e clientes da D'Almeida.

– Mas isso vai levar um bom tempo. – disse Gil Capanga.

– Quero tudo pronto em trinta dias.

A suspeita de Gil Capanga se confirmou um mês depois. Juliano retornou à fazenda trazendo consigo um grupo de oito orientais. O líder deles, de prenome Igarashi, era quem traduzia tudo quanto se discutia aos demais japoneses. Gil Capanga se esforçava, em vão, para compreender o que diziam entre si.

– É língua japonesa, meu pai. A língua deles. – disse Florípedes.

Juliano, Igarashi e os outros japoneses percorreram a cavalo toda a extensão da D'Almeida. Levaram um dia inteiro sobre o lombo dos animais, fazendo pausas, tecendo comentários, anotando dados numa agenda de capa preta. Igarashi lançava perguntas a Gil Capanga, a Florípedes e aos funcionários que encontrava pelo caminho. Era curioso e a respeito de tudo queria saber. Até os pássaros que lá apareciam e em quais horários. Questionou sobre a ocorrência de cobras, ataques de onças, pragas de carrapatos. Coletou amostras da terra e da água. Por último, desceu da montaria para inspecionar os zebus, visivelmente impressionado com a saúde e o porte das reses. Perscrutava olhos, focinhos, orelhas, bocas, dentes, patas, bagos.

– Bom, bom. – dizia ele.

Na manhã seguinte, partiram os japoneses de volta à capital. Gil Capanga aproveitou que Juliano estivesse sozinho para se aproximar.

– O menino pretende vender a fazenda?

Juliano confirmou:

– Sim. É a vontade das minhas irmãs.

– Só a delas?

O afilhado manteve-se em silêncio. Disse por fim:

– A minha também. Esse aqui não é o meu lugar. Nem o delas. Papai sabia disso.

Gil Capanga controlou um princípio de raiva.

– Vosso pai tinha o sonho de construir um frigorífico na cidade. Queria que você tomasse conta. Era para isso que ele e a comadre Clarice embarcaram naquele ônibus. Iam te comunicar.

Juliano estava distante. Parecia sem interesse em ouvir o que o padrinho lhe dizia. Gil Capanga foi adiante:

– Se você me permite, não acho que seus pais ficariam felizes com a venda da fazenda. E ainda assim, tão apressadamente.

Juliano, enfim, o encarou.

– Estamos decididos. Eu e as meninas. A fazenda vai ser vendida.

– E quanto ao frigorífico? Era o sonho do vosso pai.

– Era o sonho dele. Não o meu. Nem o das minhas irmãs.

Gil Capanga encheu-se de raiva. Falou em voz alta:

– Você falta com respeito à memória do vosso pai falando desse jeito!

Juliano se levantou. Foi até bem próximo ao padrinho. Falou olhando nos olhos:

– Está decidido. A D'Almeida vai ser vendida.

Deu as costas e saiu. Florípedes e Dona Rute espiavam de longe. Entenderam o que os olhos marejados de Gil Capanga lhes diziam. Sem ânimo, ombros caídos e cabeça baixa, o gerente se chegou para perto delas. Desabou.

– Acabou tudo. Vendem a fazenda. Acabou tudo.

Até o retorno definitivo dos japoneses, Gil Capanga tentou estabelecer novos diálogos com o afilhado. Guardava um fio de esperança de que conseguiria demovê-lo da ideia de vender a D'Almeida. Foram vários apelos: que Juliano revisse a decisão; que se recordasse do quanto Tibúrcio e Clarice Amendoeira amavam aquele chão; que não violasse a memória dos dois em tão pouco tempo de enterrados. Quem sabe mais adiante, noutro momento; ainda estavam abalados, ele e as irmãs, afinal a tragédia era recente. Esperassem um pouco mais para que, com a mente tranquila e o coração aliviado da dor, pudessem, então, decidir quanto ao melhor a ser feito. Entretanto, era como se falasse a ninguém. Juliano mal ouvia o que o padrinho lhe dizia. Não parecia ter dúvida ou remorso. Ao contrário. Cada novo dia na fazenda era um novo suplício, um martírio sem fim. Por Juliano, já teria concluído a venda e partido de vez para a capital. Sem culpa. Sem satisfações a dar. Sem arrependimento. Gil Capanga sofria. A indiferença e a falta de sentimento de Juliano, a frieza com que falava sobre a venda das terras onde o avô, Policarpo Almeida, e o pai, Tibúrcio, nasceram e se criaram, e ele próprio, Juliano, também nascera, lhe cortavam o coração. Eram as terras onde criaram suas famílias, seus bois e vacas; onde construíram uma história sólida, verdadeira, de amor e dedicação ao trabalho. Terras em vias de serem vendidas aos japoneses que nada sabiam daquela história e daquele amor, que não entendiam nem jamais entenderiam o que cada boi, cada vaca, cada pedaço de chão daqueles significavam. Juliano não parecia carregar o sangue dos Almeida nas veias.

– Nem tampouco você o carrega. Até onde sei, não passa de um funcionário da fazenda com ares de membro da família. – disse o afilhado secamente.

Gil Capanga sentiu um gosto amargo na boca. Teve vontade de acertar um soco naquele rosto redondo e indiferente. Mas conteve-se em respeito à memória de Tibúrcio. Diante das palavras de Juliano, a certeza: prestes a completar cinquenta anos de vida, todos eles dedicados à D'Almeida, ali terminava a longa trajetória de Gil Capanga na fazenda.

– Pois vou arrumar minhas coisas e as da minha família. Amanhã vamos embora.

Duas notícias surpreenderam os trabalhadores da D'Almeida naquela noite: a venda da fazenda e a partida de Gil Capanga. Mal podiam acreditar os funcionários. Corriam de casa em casa, de roda em roda, discutindo, comentando, aventando as possibilidades daquelas notícias serem boatos. Nenhum deles conseguia conceber que Juliano, filho do falecido Tibúrcio, por mais ingrato que fosse, resolveria desfazer-se das terras que foram do pai e do avô em tão pouco tempo. Os rumores cresceram e, naquela noite, poucos dormiram. Além da preocupação, a chuvinha insistente que caiu durante toda a madrugada roubara-lhes o sono. A garoa fina encharcou a terra, as estradas, os barrancos. Não fizera volume suficiente para engrossar as águas do São Francisco, mas atrasou a chegada dos japoneses à fazenda na manhã seguinte. Vaqueiros chegaram em mulas para avisar que os carros com os estrangeiros estavam atolados perto do Curral Comprido, uma légua e meia de distância. Juliano reuniu uma dúzia de vaqueiros e partiu em socorro dos compradores da fazenda. Por volta do meio dia, cobertos de barro, os japoneses, enfim, desembarcaram na D'Almeida. Vieram na garupa dos cavalos e mulas, uma vez que fora impossível retirar os veículos da lama grudenta. Igarashi trazia o contrato de compra e venda, mas deixaria a assinatura para depois do banho e de uma refeição caprichada. Era tudo o que ele e os demais japoneses desejavam naquele dia que começara infernal e terminaria ainda pior.

A chuva passou. O céu abriu e um lindo sol de verão explodiu sobre a fazenda. À medida que os raios secavam as poças d'agua, um sufocante mormaço cobria tudo em volta. Os bois agitavam-se nos pastos e currais. Os vaqueiros, embaixo das árvores, especulavam quanto ao que seria de suas vidas a partir daquele momento, com a venda da D'Almeida para "os homens dos olhos puxados". Muitos estavam ali desde pequenos; era o único lugar onde trabalharam. Daí a expectativa no olhar de todos eles. As mulheres, por sua vez, aguardavam em pé, na porta e nas janelas dos casebres que serviam de moradia para os trabalhadores desde a época de Policarpo Almeida. Não haviam sido informados se permaneceriam empregados ou se seriam dispensados. Alheios ao clima de incertezas, felizes na lama, seus filhos chafurdavam em meio às brincadeiras. Depois do almoço reforçado, batidos pelo calor que fazia dentro da casa, Juliano, Igarashi e os outros japoneses correram para o terreiro. A centenária jaqueira foi o lugar escolhido para a aguardada assinatura do contrato. Juliano mandara Jiló, o ajudante da casa, arrumar mesa e cadeiras à sombra, com água gelada e muitas frutas para que se refrescassem. E para lá marchou o grupo. Gil Capanga, Dona Rute e Florípedes passaram ao largo. Levavam consigo parte dos pertences: roupas, sapatos, mantimentos, um aparelho de televisão e alguns móveis pequenos. Eram ajudados por Bastião, Anacleto e a mulher dele, Romualda, e alguns netinhos barrigudos. Rumavam para o São Francisco. Pegariam a embarcação para o outro lado do rio, onde morava a mãe de Dona Rute, no povoado de Santana da Grota Funda. Lá ficariam hospedados até apanharem o restante dos pertences, acertarem suas contas e decidirem o que fariam das suas vidas fora da D'Almeida. Em sinal de respeito e admiração, e para demonstrar o

quanto Gil Capanga e a família eram queridos, de onde estavam os vaqueiros e as trabalhadoras tiravam chapéus e lenços e acenavam à distância. Juliano reparou naquele gesto. Os japoneses também. Igarashi quis saber porque partiam.
– Entenderam que não são da família. – falou Juliano.
No pequeno cais defronte à venda de Zulmira Balaiuda, Gil Capanga, mulher e filha acomodaram os pertences e tomaram a primeira rabeta em direção à Santana da Grota Funda. Da venda, dos casebres, dos barrancos às margens do rio saíam pescadores, feirantes, bêbados, mulheres com crianças nas ancas. Custaram a acreditar no que viam: o compadre do finado Tibúrcio, amigo e braço direito do pecuarista, indo embora da fazenda onde nascera e crescera.
– Isso é coisa daquele traste do Juliano! Te esconjuro! – esbravejou Zulmira Balaiuda.
A pequena multidão acompanhava a vagarosa marcha da rabeta. Dona Rute e Florípedes iam na popa, pouco à frente do barqueiro que os conduzia pelas águas barrentas do rio. Gil Capanga, sentado à proa, engolia a vontade de chorar. Todas as cenas passavam por sua cabeça naquele momento: a infância ao lado de Tibúrcio na beira daquele mesmo rio; as brincadeiras na feira e na quermesse; as idas à capela e às aulas da Professora Lili no Grupo Escolar Negra Maria Felipa. Revia a ele mesmo, na noite enluarada, nos braços da gêmea Célia Regina, descobrindo o amor na adolescência; e outras lembranças vinham à tona, lembranças alegres, mas que naquele exato instante lhe pesavam feito chumbo. Quando o silêncio se fez insuportável, travando o peito de Gil Capanga, ele meteu uma das mãos no alforje num movimento quase desesperado. Precisava ouvir algum som que não fosse o gemido das águas no casco do barco. Pegou o primeiro apito que a mão alcançou. Era justamente o apito dos bois. Ficara pronto pouco antes do acidente com Tibúrcio, e por isso mesmo não chegara a ser testado. Levou-o à

boca e soprou com todo o fôlego. O som do mugido escapou pela minúscula abertura, ganhou o ar e foi se espalhar pela caatinga, cortando as águas do rio, subindo as barrancas e a pequena ladeira até desfazer-se na D'Almeida. Era um som perfeito, fiel, tão convincente que na fazenda todos imaginaram se tratar de um boi desgarrado. Juliano continuava sentado à sombra da jaqueira, ao lado dos japoneses. Fez sinal para que Rozelito, um dos vaqueiros, tomasse a mula e fosse atrás da rês perdida. Antes, porém, que o vaqueiro pudesse dobrar a curva no sentido do rio, ouviram um novo mugido vindo de lá. E outros logo em seguida. Nos pastos e currais da fazenda, o gado já alvoroçado pelo forte calor começou a responder aos chamados do apito. Em segundos, ouviu-se uma desajustada sinfonia de mugidos. Algo fabuloso se passou a partir dali. À medida que o apito de Gil Capanga soava no leito do rio, os rebanhos da D'Almeida avançavam descontrolados. Tomados por um poderoso encantamento, rumaram violentamente na direção do rio. Nada que estivesse à sua frente resistiria à força daquela manada endiabrada. Cercas, arames, jardins. Os varais, as plantas, o delicado caminho de pedras brancas desenhado pela finada Clarice Amendoeira. Tudo destruído em segundos. Surpreendidos pelo ensurdecedor ruído dos cascos, os japoneses mais ágeis conseguiram levantar das cadeiras e subir na jaqueira ou correr na direção oposta aos bois e vacas que arremetiam por sobre eles. Igarashi não teve essa sorte. Tampouco Juliano. Foram arrastados pelo tropel junto com mesa, cadeiras e os papéis do contrato de compra e venda da D'Almeida. As mais de trezentas cabeças de gado, entre elas o touro Domador e a vaca Miracema, desceram a ladeira numa rapidez estonteante. Se lançaram às águas, em grandes levas, precipitando-se nas profundezas do São Francisco, como se precisassem atender ao chamado do encantador de pássaros.

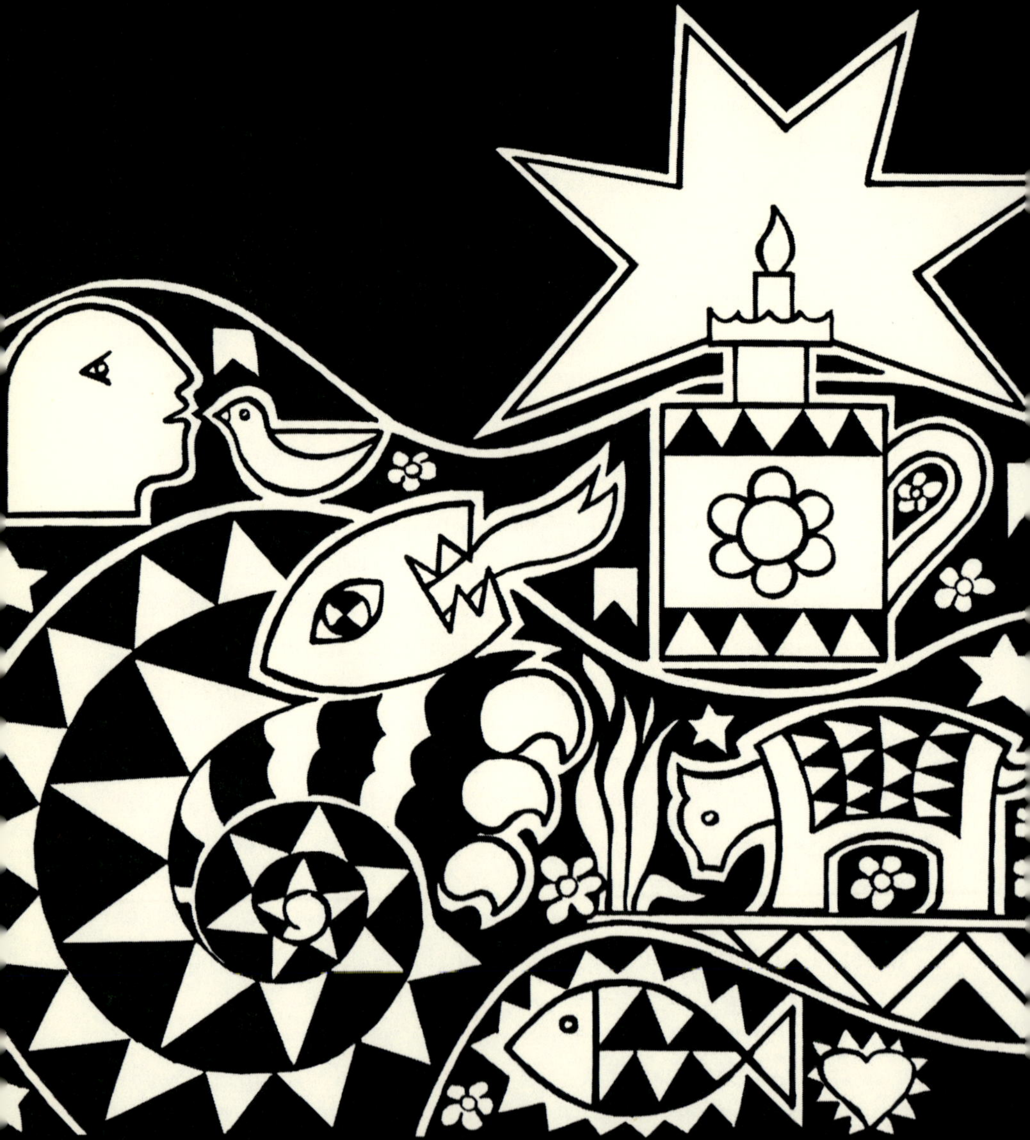

O *mistério da Santa*

Os moradores mais velhos diziam, sempre que a Quaresma se aproximava, que a besta escondida sob a imagem da Santa, no Alto do Cruzeiro, libertar-se-ia por obra da maldade, da mesquinharia daquela gente sertaneja. E nada poderiam fazer os habitantes do Cajueiro, ainda que o desejassem, para conter a fúria e a fome do monstro. Ele escaparia da prisão onde fora encarcerado, desde muito tempo, para castigar os pecadores devorando seus pagãos, os recém-nascidos que, por esquecimento ou negligência dos pais, ainda não tivessem sido ungidos com o necessário e indispensável sacramento do batismo.

Diziam, ainda, que de nada adiantaria quererem proteger os pagãos, trancando-os em casa, dentro dos quartos, envoltos em muitas mantas e escondidos sob os mosquiteiros. A criatura abominável tinha faro de cão perdigueiro, aguçadíssimo, capaz de localizar os pequenos a muitos quilômetros de distância. E mais: possuía a capacidade demoníaca de rastrear o local onde estavam as criancinhas apenas pelo cheiro do suor, do arroto, da golfada e, inclusive, pelo aroma do leite da mãe exalado durante a amamentação.

Também pouco efeito causaria espalhar pela casa imagens de santos católicos de devoção, santinhos e benditos, cruzes, crucifixos, escapulários; os pais poderiam banhar as crianças em água benta, acender velas por toda a casa e ferir os joelhos em preces, orações e penitência sobre caroços de feijão ou milho. Tempo e saliva perdidos. A besta era imune a todas essas coisas. Só obedecia à própria fome.

Embora os rumores voltassem à tona tão logo a Quaresma começasse, ano após ano, os mais antigos, sobretudo as rezadeiras, juravam que a besta só agia em dias determinados: Quinta-feira Santa, Sexta-feira da Paixão, Sábado de Aleluia e Domingo de Páscoa. Era quando tinha permissão, não se sabe de quem, para romper as correntes que trazia nos calcanhares, sair de debaixo da imagem da Santa e errar pelo Cajueiro em busca de carne e sangue novos – os únicos alimentos capazes de aplacar sua fome.

Mas os antigos foram confrontados por uma inesperada alteração na forma como a besta agia. Sustentavam que os filhos batizados de pais cristãos, ungidos por água benta em pia batismal, e tendo sido consagrados a Deus e à Virgem Santíssima, estariam fora de qualquer perigo. Conforme já fora dito, a besta banqueteava-se somente dos pagãos cheirando a leite ou sujos de golfada. Nesta Semana Santa, entretanto, a cidade convencera-se de um fato incontestável: naqueles tempos mudados, as coisas haviam se passado de modo terrivelmente diferente no sertão do Cajueiro.

A cidade tomara conhecimento do sumiço da menina Letícia, filhinha recém-nascida de Antônio das Cajás e da quituteira Ordélia, durante a procissão da Quinta-feira Santa. Estavam pai e mãe, católicos fervorosos, participando da caminhada penitencial pelo Cajueiro quando, não mais que de repente, foram atalhados no meio da rua por Benedita, empregada do casal. Suada, cabelos desgrenhados, bofes para fora, Benedita avançou em meio à multidão clamando por Antônio das Cajás e Ordélia. Enfim, ao avistá-los bem à frente do cortejo, já quase embaixo do andor com a Cruz de Espinhos, contritos em oração, gritou-lhes:

– Seu Antônio! Dona Ordélia! A besta levou a menina! Acode, pelo amor de Deus!

Ordélia caiu dura, tesa, estatelada no chão de paralelepípedos. Antônio das Cajás não sabia se acudia a esposa, se pedia socorro para a filha ou se clamava a misericórdia divina. Àquela altura, a confusão era geral. Embora o padre Nicanor instasse os fiéis a manterem a procissão em curso, perseverando na fé e na oração, a caminhada terminou ali mesmo. Não haveria condição para o seu prosseguimento. A notícia do desaparecimento da menina Letícia circulou sem demora, pulando de boca em boca e ganhando contornos ainda maiores e mais extraordinários à medida que se espalhava.

Dado momento, dalgum ponto da assanhada multidão, uma voz se levantou afirmando que a besta também levara Duzinho, o caçula da comadre Almerinda e Seu Mané Aboiador. Outros tantos rumores foram ouvidos quase simultaneamente. Davam conta do desaparecimento dos filhos recém-nascidos de Carmelita Cocadeira, Pedro Bó, Maria da Gia e Anastácia da Rodagem.

– Mas Anastácia ainda não pariu! – garantiu alguém.

Houve quem afirmasse, também, que a besta estaria naquele exato momento invadindo outras casas em busca dos pagãos. Empurra-empurra. Gritos. Pedidos de socorro. Vozes aflitas ecoavam em toda parte. Os devotos partiram em revoada para suas casas, diluindo-se a procissão por ruas, becos e vielas do Cajueiro. Os adolescentes do Grupo de Oração largaram as tochas acesas no chão e se mandaram. Paulinho da Bomba, um dos carregadores da Cruz de Espinhos e pai de Sebastianinha, deixou o andor de lado e partiu em disparada. Fosse rápido, chegaria em casa antes da besta. Claudiana, conhecida como Clau Boca de Mel, seguiu o rastro dele. Morava no Alto do Cruzeiro, perto da famosa imagem da Santa, e deixara o filho Tobias sob os cuidados da mãe, Dona Jerimunda, uma anciã já quase cega e quase surda.

Tantos mais fiéis correram velozes; velhos caíram no chão, tombados na debandada. Dona Regenera perdera o xale e o chinelo; Dona Beré, a dentadura. E na confusão instalada houve, ainda, quem se valesse do clima de pavor para apalpar as carnes de Vanuzona, uma mulata solteirona, de voz grave e olhos vermelhos como duas bolas de fogo.

Padre Nicanor viu-se praticamente sozinho. Seu rebanho havia dispersado em meio à tradicional procissão da Quinta-feira Santa. Restou ao pároco ordenar às renitentes ovelhas que marchassem de volta à Igreja Matriz. O bispo Dom Antonino, forte defensor das tradições religiosas, consideraria aquele episódio um ato de profundo desrespeito para com o sagrado compromisso da penitência, num dia tão importante para os cristãos. Pouco depois de ter retornado à Igreja Matriz, e antes que pudesse retirar as vestes da procissão, padre Nicanor fora procurado por três casais. Pais e mães cujos filhos haviam sido raptados pela besta momentos antes. Apresentaram-se, como é de se imaginar, no pior estado de nervos.

– Padre, me ajude! – disse Ordélia aos prantos. – É minha única menina!

Somaram-se outros prantos exasperados. Vânia e o marido Samuel tiveram roubado o filho Gabrielzin. De Maria Escolástica e Bento Mão Grande a besta levara Catiara. Foram os três únicos raptos confirmados, embora os boatos tivessem apontado muitos outros casos. A primeira ordem do padre Nicanor, ainda confuso, atarantado, foi pedir calma e um pouco de silêncio:

– Xiu! Silêncio! Vamos nos acalmar! O desespero nessas horas só prejudica. Ouviremos o que cada um tem a dizer e, depois, decidiremos que providência tomar.

Benedita foi a primeira a relatar o ocorrido. Estava em casa de Antônio das Cajás e Ordélia. A mando dos patrões, certificara-se de que portas e janelas foram bem fechadas. Assim, com tudo nos conformes, Benedita assistia à novela com a menina Letícia ao lado, dormindo sossegada no bercinho. Nesse momento, a empregada ouviu ruídos do lado de fora. Mas não eram ruídos de gente humana. Eram de bicho danado. Também conseguira notar perfeitamente um comprido e peludo focinho fungando por trás da porta, e as unhas arranhando as janelas.

– E você, o que fez? – padre Nicanor quis saber.

– Apaguei as luzes e comecei a rezar alto. Então ouvi um silêncio do lado de fora. Parecia que a besta tinha partido. Abri a porta um bocadinho de nada, para ter certeza...

Nos três casos, conforme os relatos, a besta agira da mesma maneira: esperou as incautas abrirem a porta, só um bocadinho de nada, e entrou abruptamente. Benedita nada pode fazer. Perdeu os sentidos diante da criatura horrorosa, metade homem e metade bicho, com focinho de perdigueiro, presas de onça, braços de gente e um enorme e retorcido rabo de porco.

– Rabo de porco? – padre Nicanor admirou-se com o detalhe.

As descrições da besta, em verdade, divergiam de relato para relato. Remédios, a empregada de Vânia e Samuel, que cuidava de Gabrielzin naquela noite de procissão, jurou de pés juntos ter visto uma criatura com chifres de bode, focinho de onça e presas de perdigueiro. Sem rabo.

– Com chifres? Sem rabo? – voltou a admirar-se o padre Nicanor.

Maria Deusa, empregada de Maria Escolástica e Bento Mão Grande, narrou a mesma abordagem da fera, mas os detalhes quanto ao aspecto físico da criatura que roubara Catiara eram diferentes dos outros dois casos.

– Nem alta nem baixa. Era, assim, meeira. Tinha duas bolas de fogo na cara e os dentes realmente enormes. Mas não tinha focinho de perdigueiro. Nem chifres de bode.

– E quanto ao rabo? Viu se tinha rabo de porco? – insistiu o padre Nicanor.

Alguns aspectos das narrativas chamaram a atenção de modo particular. Benedita, Remédios e Maria Deusa trabalhavam como empregadas domésticas durante o dia, mas naquela noite, como já ocorrera noutras ocasiões, tinham recebido um dinheiro extra dos patrões para vigiarem os recém-nascidos enquanto os pais participavam da procissão; as três viram a besta de perto e desmaiaram em seguida. Quando recobraram os sentidos, encontraram os berços vazios. Por alguma razão desconhecida, a fera avistada por elas preferira levar as crianças vivas, optando por não se banquetear ali mesmo dos pequenos pagãos.

– Pagãos? Como assim? Eu mesmo os batizei! – padre Nicanor mostrou-se espantado.

Não. As crianças não eram pagãs. A menina Letícia, Gabrielzin e Catiara, mesmo tendo nascido há poucos meses, já haviam sido batizados. E esse fato produzia um dos enigmas em torno dos desaparecimentos. Se os antigos asseveravam que a besta só atacava recém-nascidos que ainda não tivessem sido ungidos, qual a razão para raptar, desta vez, três crianças sacramentadas pelo batismo, cristãs de pai, mãe, padrinho e madrinha, consagradas a Deus e à Virgem Santíssima?

– Há algo errado! – concluiu o padre Nicanor após as oitivas.

Diante do enigma que se formara, e incapazes de desvendar sozinhos o mistério em torno dos ataques da besta, decidiram recorrer aos sábios ensinamentos de Dom Antonino. O velho italiano, cansado e doente, já não saía da Casa Paroquial, sua residência oficial. E pelo adiantar da hora, certamente teria se recolhido. Mas urgia ouvir-lhe os conselhos quanto à melhor maneira de proceder num caso tão grave. Foi a secretária particular do bispo e também diretora da Escola do Frei, Maria Auxiliadora, quem abriu a porta após insistentes batidas. Estava pálida, surpresa com as inesperadas visitas. O padre Nicanor antecipou as desculpas e explicou-lhe a razão do incômodo àquela avançada hora da noite. Necessitavam falar com o bispo por ser ele um homem iluminado, o único em todo o sertão do Cajueiro capaz de lhes clarear a mente ante tão insondável mistério. Parada diante da porta, sem os convidar a entrar, Maria Auxiliadora limitou-se a dizer:

– E desde quando Dom Antonino entende de bestas?

Constrangidos, bateram em retirada da Casa Paroquial. Ordélia insistiu que deveriam recorrer aos moradores mais antigos do Cajueiro. Rumaram, então, na direção da casa de

Sinhá Preta, nas bandas do Matadourinho. A rezadeira, conhecida pelo Responso de Santo Antônio no mês de junho, saberia o que lhes dizer.

– A besta quando pega, meus filhos, não devolve não. Tem jeito não. – sentenciou Sinhá Preta.

Choraram copiosamente Ordélia, Vânia e Maria Escolástica. Antônio das Cajás, Samuel e Bento Mão Grande, cabisbaixos, confortavam as esposas. Também chorosas, uma ao lado da outra, Benedita, Remédios e Maria Deusa. Sinhá Preta continuou:

– Vosmicês precisam evitar que ela roube outras crianças.

O padre Nicanor, lutando entre o pavor e o ceticismo, atalhou:

– Sinhá Preta. A senhora acha mesmo que essa tal besta, se é mesmo que ela existe, pode atacar novamente?

– Existe sim, padre! E pode atacar de novo. Até o Domingo de Páscoa a fome dela é grande.

– E o que se pode fazer, Sinhá Preta? – Bento Mão Grande indagou.

– Ajuntem os homens da cidade. Façam uma caçada na mata do Alto do Cruzeiro. É por lá que a besta anda solta. Mas vão prevenidos. Não se brinca com coisa séria.

Bento Mão Grande saiu imediatamente à procura dos melhores caçadores do município, auxiliado por Antônio das Cajás e Samuel. Era madrugada da Sexta-feira da Paixão quando bateram de povoado em povoado, distrito em distrito. Na Maurití encontraram Tavinho, Zé Augusto, Miralvão e Mironílio. Na Capoeira foram buscar Rone Bolachudo, Jezoni, o vaqueiro Mazinho, tão bom no gatilho quanto em contar mentiras. Da cidade tomaram parte na caçada Laerte Leiteiro, um varapau meio afeminado, e, segundo se dizia, de excelente pontaria, Carmelúcio, os filhos de Roque da Oficina, Seu Manoel, esposo de Tia Marialva e a própria Tia Marialva, atiradora de mão cheia, tanto quanto ou até melhor que o próprio Seu Manoel. Ao todo, trinta homens e uma mulher bem armados com suas espingardas de socar, repetições, um ou outro revólver. Muita munição. E os melhores cães perdigueiros, vira-latas, mestiços: cinquenta e dois farejadores nas contas do mestre de obras Dionísio da Boleia.

O sol começara a se pôr por detrás do Alto do Cruzeiro. O fim de tarde daquela Sexta-feira da Paixão espalhava tons dourados, alaranjados, vermelhos e lilases. Moradores do Cajueiro se reuniram em frente à Igreja Matriz, onde jejuariam até que a expedição dos caçadores estivesse de volta, sã e salva, trazendo consigo a horrível criatura. Sob aplausos e palavras de apoio, partiram, então, os cajueirenses e seus cães em busca da besta. Não desistiriam até que ela fosse encontrada, abatida, decapitada, destrinchada e exibida na praça do Cajueiro.

Divididos em dois grupos de dez e um grupo de onze pessoas, fizeram um cerco em volta da mata fechada que rodeava a imagem da Santa. Grandes fogueiras foram acesas assim que a noite caiu de vez; as chamas altíssimas eram vistas de longe. Na frente iam os farejadores, nervosos e zoadentos, enfiando o focinho em todo buraco ou toca que encontrassem no caminho. Os caçadores vinham logo em seguida, atentos a qualquer sinal emitido pelos cães. Mas a noite avançava sem progresso.

Nenhum dos farejadores havia encontrado qualquer pista da fera. A madrugada do Sábado de Aleluia derramou-se trazendo consigo o cortante frio do sertão. Os grupos tornaram a acender fogueiras. Assaram dois tatus bola, capturados numa touceira; também levaram ao fogo nacos de carne de sol, toucinho de porco, tiras de calabresa, tudo servido em cumbucas com farinha. Rone Bolachudo, glutão incorrigível, não triscou na cumbuca.

– É pecado comer carne no dia de hoje. – disse ele.

– Pecado é curtir fome nesse frio. – retrucou o primo Jezoni.

A cachaça e o fumo de corda correram de mão em mão.

Zé da Viola tirou a gaita do bolso e ensaiou alguns acordes, no que foi prontamente repreendido pelos demais.

– Oxe! Hoje é dia de gaitada, pelo amor de Deus? – ponderou Rubenildo, um dos muitos filho de Roque da Oficina.

Foi, então, que um dos farejadores partiu em disparada até um local mais à frente, um lajedão de pedras alvas onde algo estranho parecia se mexer por detrás dos pés de angico. Os demais cachorros partiram no encalço. Logo estavam com unhas e presas em volta duma criatura escura, corpulenta, completamente sem roupas. Os caçadores foram no rastro dos cães, as armas apontadas na mesma direção. Ouviram gritos assustadores. Miralvão advertiu:

– Isso é grito de gente!

E de fato era. Tratava-se de Lindomar, a Lindó, filha amalucada de Dona Darlene, conhecida comerciante no Cajueiro. Desde pequena, Lindó regulava pouco do juízo. De vez em vez, quando menos se esperava, sumia de casa e passava dias enfiada no meio da mata, sozinha, comendo frutas, insetos e bebendo água das nascentes. Diziam que a doida Lindó era dada a fornicações, e para assuntos desta natureza os miolos funcionavam perfeitamente bem. Estava lanhada de espinhos, urtigas, folhas de favela e só não fora devorada pelos cães porque Carmelúcio, mais rápido que os animais, dera um tiro para o alto, fazendo a matilha recuar. Lindó foi resgatada por Tia Marialva, que a trouxe para perto de si. Recebeu água, comida e um cobertor para cobrir-lhe as partes.

Quando as barras quebraram e o Sábado de Aleluia, enfim, amanheceu, os caçadores chegaram aos pés da Santa, no ponto mais elevado do Alto do Cruzeiro. A imagem feita em cimento e caiada de branco tinha sete metros de altura. Fora um presente da vizinha cidade de Carnaúba à Diocese do Cajueiro. A ordem de assentá-la naquele ponto partiu de Dom Antonino, então pároco da cidade. A ideia do religioso, à época recém-chegado da

Itália, era fazer com que os paroquianos vissem a imagem da Santa como um farol, um guia para seus passos. Havia, contudo, outro propósito, esse mais estratégico: fazer com que a Santa, divisada de qualquer ponto da cidade, agisse no inconsciente dos fiéis, uma espécie de inibidora de pecados, vigiando e defendendo os valores cristãos.

Há cinquenta anos, quando a imagem fora plantada no Alto do Cruzeiro, a Santa se tornara um ponto turístico do Cajueiro, local de visitas, encontros, peregrinação. Os jovens do Grupo de Oração faziam piqueniques e acampamentos, encenavam peças de teatro, estudavam a bíblia. Mas nada disso existia agora. A mata invadiu os arredores e a área em torno da imagem virou esconderijo para bandoleiros. Ao longo dos anos, os rumores sobre as aparições da besta também contribuíram para o abandono das atividades religiosas e os passeios próximos à Santa.

Ainda que todos tivessem ouvido falar sobre a besta e sua sanha assassina, da fome que despertava o apetite diabólico da diabólica criatura nos dias santos da Quaresma e da violência empregada no momento de devorar as vítimas, pequeno não foi o susto dos caçadores ao se depararem com o cenário naquela manhã de sábado: aos pés da Santa encontraram roupinhas de recém-nascidos, mantinhas, fraldas de tecido, toucas e luvinhas para o frio, além de meias coloridas; as peças estavam sujas duma espécie de gosma vermelha, substância pegajosa que a todos pareceu sangue. Também localizaram restos duma fogueira, tocos de lenha e cinzas ainda quentes, indicando que o local fora usado há pouquíssimo tempo. Mazinho cavoucou as cinzas com um galho seco de árvore. Em volta do vaqueiro, arrepiados, os caçadores fizeram o sinal da cruz ao mesmo tempo.

– Misericórdia! – disse um.

– Sangue de Cristo tem poder! – completou outro.

Minúsculos ossos foram encontrados em meio às cinzas; alguns lembravam bracinhos, perninhas. O vaqueiro Mazinho suspendeu um pedaço de osso cujo formato lembrava a cabecinha dum recém-nascido.

– Esconjuro! Valei-me, Minha Nossa Senhora! – disse Mazinho ao devolver o pedaço de osso às cinzas.

Tavinho da Maurití chegou correndo até onde estava o grupo reunido. Atarantado, esforçando-se para falar, fez sinal com o dedo, indicando a base da imagem, um enorme bloco quadrangular de cimento sobre o qual a estrutura da Santa estava apoiada.

– Vejam isso! Vejam isso! – gritou Tavinho da Maurití ao recuperar a voz.

Lá estavam grossas correntes já bastante enferrujadas, gomos e grilhões jogados uns sobre os outros num emaranhado de ferros pesados.

– É a corrente da besta!

Os três pelotões, novamente transformados numa só chusma, reagruparam-se ali perto. Bravos caçadores, os homens mais corajosos do Cajueiro, perderam a cor diante do horror que acabaram de testemunhar. Era quase possível tocar o medo que pesava sobre o lugar. Sem comando, falavam e gritavam ao mesmo tempo; palavras aleatórias, frases soltas, o pavor coletivo. Ninguém ouvia ninguém. Ficariam ali, naquele transe, não fosse a atitude de Tia Marialva. Tirou a espingarda das costas e deu um disparo para cima. Calaram-se todos.

– Chega de tanta atrapalhação! Vamos organizar as coisas aqui. Agora que a gente chegou ao esconderijo da besta, vamos decidir o que fazer. Alguém tem ideia?

Antônio das Cajás, Samuel e Bento Mão Grande se aproximaram. Traziam as peças de roupas sujas de sangue. Não havia dúvida: eram as roupinhas da menina Letícia, de Gabrielzin e Catiara. Estavam num abatimento de fazer pena. Antônio das Cajás tomou a palavra:

– Acho que alguém precisa voltar lá e avisar às mães. Elas têm o direito de saber.

Samuel concordou. Bento Mão Grande também. Disse:
– Já procuramos em todo lugar. Já cortamos essa mata toda. Se a besta não está cá fora, deve ter voltado para debaixo da imagem. Eu sou a favor de a gente derrubar essa Santa! Botar ladeira abaixo!

Urros. Aplausos. Vivas. Todos concordaram com a brilhante ideia de Bento Mão Grande. Bastante arrazoada. Muito bem pensada. Tia Marialva despachou as ordens: vaqueiro Mazinho e mestre de obras Dionísio da Boleia deveriam correr até a cidade e transmitir aos moradores reunidos na Igreja Matriz, em minúcias e sem omitir nenhum detalhe, os fatos ocorridos ali, bem como comunicar a todos a decisão de há poucos instantes: a Santa seria derrubada. Os que desejassem participar da empresa, que viessem trazendo suas ferramentas. A multidão recebeu as notícias com um misto de terror, resignação, revolta. Diante da confirmação do sufrágio de três crianças inocentes, e do iminente risco de novos ataques, não restava outra atitude a ser tomada senão colocar abaixo o lugar onde a criatura maligna se escondia. Derrubar a Santa, pois, era o mais correto. O padre Nicanor entrou em desespero. Corria de um lado a outro, as mãos ora sobre a cabeça, ora erguidas para o alto, admoestando o rebanho a não endossar um ato como aquele, grave pecado contra a Igreja e o próprio Deus.

– Meus irmãos! – dizia ele. – Não se combate um mal cometendo outro! Não derrubem a Santa! Não derrubem a Santa!

A multidão não lhe deu ouvidos. Dispersaram os fiéis da Igreja Matriz, voejando apressados por todos os lados da cidade. Pouco depois apareciam nas ruas, aos montes, homens e mulheres portando as ferramentas para a missão já tida por muitos como sagrada. Ocorreu ao padre Nicanor voltar à Casa Paroquial e apelar à autoridade do bispo. Somente ele seria capaz de impedir aquele crime. Partiu nas carreiras. Encontrou Dom Antonino sentado à varanda, manso e pacífico como de costume.

– Querem derrubar a Santa, Dom Antonino!

O ancião moveu a dentadura na boca. Mandou que o aflito Nicanor se sentasse ao seu lado.

– Estou sabendo, meu filho. Estou sabendo.

– O bispo precisa intervir. Só o senhor conseguirá conter essa multidão toda. – E apontou com o dedo as pessoas que desciam a rua na direção da Igreja Matriz, de onde partiriam rumo ao Alto do Cruzeiro.

Dom Antonino olhou sem interesse. Fungou longamente. Depois disse:

– Que poder tem um velho feito eu, meu filho, acabado pela decrepitude, doente e sem forças? Nada mais esperam de mim além da morte.

– Não! O senhor é uma autoridade! Hão de ouvir vossas ordens.

– Não ouvem nada, meu filho. São um rebanho desgarrado. Querem derrubar a Santa? Pois vão derrubar a Santa. Nada poderemos fazer, eu e você, meu filho. Essa gente prefere obedecer aos próprios instintos. Dá ouvido às velhas rezadeiras, mas não se importa com a palavra de Deus.

O padre Nicanor levantou-se nervoso. Não aceitava a resignação do bispo.

– Mas o senhor não pode...

– Não adianta apoquentar o juízo. Eles haverão de fazer o que querem. Darão vazão à própria vontade e à ignorância que grassa neste pobre sertão. Querem acreditar na besta? Pois acreditam e ela assim passa a existir! Nada poderemos fazer contra a força da superstição.

Fungou novamente. Maria Auxiliadora trouxe-lhe um comprimido. Prosseguiu, afinal:

– Veja, meu caríssimo Nicanor. Dediquei cinquenta anos da minha vida a essa Diocese. Instalei a Santa naquele morro; criei a Escola do Frei, que funciona até hoje lá nos Afogados, de graça, instruindo os mais humildes; instituí a procissão da Quinta-feira Santa; lutei contra a ignorância e as crendices que cegam a fé do nosso povo; instei a todos para que partilhassem dos sacramentos, para que entendessem o sentido da comunhão, da caridade e do amor ao próximo. Mas a que conclusão chego agora, quando cá estou à beira da morte? Que esse mesmo povo prefere cumprir à risca o que dizem velhas bruxas e rezadeiras. Uma besta escondida sob a Santa! Onde já se viu? Cinquenta anos de ofício religioso neste sertão sem fim, e o que me resta no derradeiro da vida? A solidão, a dura certeza de que, apesar dos esforços, pouco ou nada mudou no coração desse povo que aí está. E meia dúzia de doenças me consumindo o couro e os ossos. Pois, então, acalme-se, Nicanor. Se querem derrubar a Santa, que a derrubem. E que Deus tenha piedade deles e de todos nós.

– Mas Dom Antonino...

– Agora vá, meu filho. Deixe-me descansar. O reumatismo está me acabando.

O padre Nicanor sentiu-se abandonado. Sem liderança, forças, rebanho. Um barco à deriva num mar de caos. Respirou fundo e andou desanimado até a praça. Sentou-se num dos bancos. Era de impressionar o vai e vem de pessoas com pás, marretas, machados e machadinhos, as picaretas embaixo do braço. Enveredavam às levas para a igreja, à espera do momento em que marchariam para a Santa. Viu passar Zezito, um moleque zambeta cuja casa ficava ao lado da delegacia. Uma ideia lhe clareou o juízo.

– Zezito! Zezito! Chega aqui, moleque!

O menino se aproximou. O padre foi até ele.

– Meu filho, pelas graças de Deus, me faça um favor!

– Diga, seu padre.

– Sei que você mora perto da delegacia. Pois pegue sua bicicleta e vá me chamar o delegado Hermínio. Vá, filho! É urgente!

Zezito riu.

– O padre não sabe que a delegacia está fechada?
– Fechada?
– Sim, senhor. O delegado Hermínio foi mandado para Carnaúba. Diz que teve briga feia por lá.

O padre Nicanor cobriu o rosto com as mãos. Deixou escapar um quase palavrão.

– Perdoe, filho! Mas a situação é séria por demais.
– Se o padre quiser mandar recado urgente para o delegado Hermínio, não demora muito e sai um ônibus para Carnaúba. Posso pedir ao motorista para deixar seu recado na delegacia de lá.

O padre Nicanor não pensou duas vezes. Voou até a igreja, abrindo caminho na multidão, e escreveu carta endereçada ao delegado Hermínio. Narrava a gravidade dos acontecimentos no Cajueiro e clamava por seu retorno o mais breve possível. Disse a Zezito:

– Vá, filho de Deus! Vá! Faça chegar essa carta ao delegado!

Por mais breve que fosse o ônibus e ainda que o pedido de ajuda chegasse em tempo ao delegado Hermínio, pouco ou nada ele poderia fazer para conter a multidão e impedir que a Santa viesse abaixo. O povo do Cajueiro estava tomando pelo desejo de vingança. Ninguém sossegaria até que a imagem estivesse no chão e a besta sob ela fosse, enfim, capturada, decapitada, destrinchada. Já era noite do Sábado de Aleluia quando o vaqueiro Mazinho e o mestre de obras Dionísio da Boleia conduziram as centenas de pessoas até onde estavam os caçadores. Levavam tochas, velas, lampiões e lamparinas para clarear o caminho de pedras e as passagens estreitas na mata fechada. Visto do alto, aquele enxame iluminado lembrava a tradicional procissão da Quinta-feira Santa pelas ruas do Cajueiro. No que chegaram ao Alto do Cruzeiro, encontraram os caçadores em volta de muitas fogueiras. Tia Marialva deu boas vindas com salva de tiros para o alto. Foi acompanhada pelos demais caçadores. Não houve tempo, porém, para que se estabelecesse um plano de derrubada. Os moradores da cidade foram logo disparando as ferramentas contra a base da imagem.

Dionísio da Boleia, mestre de obras dos mais competentes, foi quem aconselhou: o melhor seria começar pelo alto, pela cabeçorra da Santa, derrubando a imagem aos poucos, bloco por bloco, até que chegassem à base. Era alta demais, pesada demais. Levariam dias para despedaçá-la por baixo. Assim fizeram. Levantaram a escada trazida por Ezequias, içaram as cordas de Dona Damiana e lá foram os homens corajosos do Cajueiro pendurar-se sobre a morada da besta. A operação, porém, mostrou-se difícil e arriscada. A imagem fora construída em puro cimento, concreto duro, duríssimo, desses que entortam as pontas das ferramentas facilmente. Perceberam que o trabalho entraria pela madrugada. Diante desta constatação, decidiram criar equipes que se revezassem no serviço. Cada caçador tratou de arregimentar seu próprio grupo. Eram muitos homens dispostos a ajudar, mas poucos, de fato, habilitados para a missão, balançando-se a sete metros de altura.

Avançaram pouco. Faltava algo para recobrar as forças e os ânimos na noite gelada. Não se sabe de onde apareceram as barricas de cachaça e as suculentas postas de carne para o churrasco. Dona Damiana, Comadre Rufina, Izina de Terêncio, Flora e outras mulheres prepararam os assados na brasa de uma das fogueiras; fizeram pequenos e deliciosos espetinhos usando gravetos e lascas de madeira. O alecrim miúdo colhido ali mesmo, na mata, deu aroma e sabor especiais à refeição improvisada. Reginalda aproveitou a gordura dos assados para incrementar a farofa d'água. Pedacinhos de toucinho, bacon e calabresa engordaram as cumbucas passadas de uma em uma. Comiam todos de mão, fazendo montículos com os dedos. Zé da Viola tornou a tirar a gaita do bolso. Dessa feita, porém, ninguém ralhou consigo. Pelo contrário. Eram muitos os pedidos para que arrancasse modinhas, cantigas. O vaqueiro Mazinho, mentiroso de marca maior, acabou por provocar gargalhadas nos que estavam à sua volta com as pouco confiáveis histórias da vaqueirama nas terras onde nascera, Baixios da Cascalheira. De repente, o Alto do Cruzeiro era pura algazarra. Voltaram a dar-se conta do que os trazia ali, enfim, quando a claridade anunciou a chegada do Domingo de Páscoa.

No primeiro raiar do sol, a desmedida cabeça da Santa rolou ladeira abaixo. Arrastou arbustos, um pé de licurí, montões de cupinzeiros esparramados na mata. Só parou ao encontrar o tronco duma poderosa munguba. Animaram-se as equipes. Recobraram as forças os bravos cajueirenses. Ao meio dia, com o sol queimando-lhes o juízo, toda a Santa estava no chão. Inúmeros pedaços de concreto sarapintavam de branco o Alto do Cruzeiro. Comemoraram o feito ruidosamente. Tiros, gritos, berros. Mas tão logo o último bloco foi arrancado e as ferramentas se calaram, fez-se um silêncio terrível. A besta não estava lá, como também não estivera na mata e em nenhum outro lugar por onde passaram. Onde estaria, então, a criatura devoradora de crianças?

O delegado Hermínio retornou à cidade com dois investigadores para pôr fim ao quiproquó instalado. Assim que receberam a carta do padre Nicanor, narrando os fatos em curso no sertão do Cajueiro, o representante da autoridade policial e seus imediatos se abalaram de Carnaúba. Não conseguiram chegar antes por motivo de força maior: uma briga dos diabos, logo após a missa do Domingo de Ramos, na cidade vizinha, e que resultara na morte do galego Elesbão. Ajudada pelo padre Nicanor, a equipe do delegado iniciou as investigações sobre o caso da besta assassina. Diligenciara no Alto do Cruzeiro e nas casas onde as crianças foram raptadas. Recolhera provas em saquinhos de plástico; o delegado usou uma pequena lupa para localizar marcas ou digitais da besta nas portas e janelas dos locais por onde teria passado. Por fim, os policiais ouviram os pais das vítimas, as testemunhas do sumiço e os caçadores. Até um mapa da região, desenhado pelo delegado numa folha de papel seda, fizera parte do inquérito.

No fim da tarde do Domingo de Páscoa, depois das muitas oitivas, Hermínio reuniu em frente à delegacia os moradores do Cajueiro. A população cobrava respostas, explicações, mas a rápida conclusão a que o delegado chegara, em verdade, frustrou o povo da cidade: não havia e nunca houve besta alguma no Cajueiro. A história dos ataques não passava de boato, mentira das grandes – estratégia para acobertar um crime.

– Crime? – repetiam os moradores.

– Sim. Crime de sequestro tipificado no Código Penal. – disparou o delegado.

– Sequestro aqui no Cajueiro? – o padre Nicanor parecia não acreditar.

– Pois sim, seu padre! – disse Hermínio num tom pedante.

Depois de uma pausa teatral, prosseguiu na explicação:

– O crime foi planejado com bastante antecedência. O mentor dos sequestros escolheu a Semana Santa porque sabia da lenda em torno da besta e de como ela mexe com o espírito do povo cajueirense. Por isso, usou desse medo coletivo para atribuir os desaparecimentos à criatura que, repito, jamais existiu.

– Mas e as roupinhas das nossas crianças no Alto do Cruzeiro? Estavam sujas de sangue! – Ordélia inquiriu.

– Foram levadas para lá. E quanto ao sangue, lhe garanto: não era de gente. Era dalguma pobre criação.

– E os ossos de criança na fogueira? Eu vi com esses olhos aqui! – o vaqueiro Mazinho ainda duvidava do delegado.

– Ossos de criança? Aquilo lá são ossos de criança, Seu Mazinho? São ossos dalgum burrego. E digo mais: se existisse, de fato, uma besta faminta solta por aí, você acha que ela perderia tempo assando crianças numa fogueira?

O delegado Hermínio crescia em vaidade à medida que a assistência se convencia da verdade trazida à tona.
– E as correntes? Nós também vimos! – insistiu Zé Augusto.
– A pessoa que levou as roupas, acendeu a fogueira e torrou o burrego na brasa, foi a mesma que providenciou as correntes. Tudo planejado para fazer vocês acreditarem na história da besta.
A frente da delegacia fervilhava. Todos falavam ao mesmo tempo. Bento Mão Grande abriu caminho na multidão e, bem defronte do delegado, perguntou:
– E cadê as nossas crianças? Onde estão?
Hermínio, então, trouxe Benedita, Remédios e Maria Deusa até a porta da delegacia. Tinham acabado de receber voz de prisão.
– Falem para eles. Contem tudo. – exigiu Hermínio.
Diante dos olhares, acuadas e chorosas, elas abaixaram as cabeças. Evitavam encarar os pais e as mães da menina Letícia, de Gabrielzin e de Catiara. Benedita foi quem primeiro falou. Ela, Remédios e Maria Deusa eram alunas da Escola do Frei. Estudavam à noite. Há alguns meses, haviam sido procuradas por Maria Auxiliadora, diretora da escola e secretária particular de Dom Antonino. Viera com uma conversa macia sobre ajudar crianças do sertão a terem um futuro melhor, diferente do que tiveram seus pais e avós, sem instrução ou bons empregos e, às vezes, padecendo de privações e até fome. Esforçando-se para parecer simpática e convincente, Maria Auxiliadora insistia no valor do ato cristão, ainda que muitos pudessem discordar, presente no gesto da "doação".
– Doação de quê? – Benedita foi direto ao ponto.
Doação de crianças sertanejas a certos casais da capital que, impossibilitados pela natureza de procriar, garantiriam vida digna e abastada àqueles meninos e meninas do Cajueiro. As abordagens prosseguiram até bem perto da Quaresma quando,

enfim, Benedita, Remédios e Maria Deusa foram persuadidas. Não exatamente pelo dever cristão de contribuir com o amanhã das crianças que cuidavam, mas, sobretudo, em razão da gorda soma em dinheiro que receberiam pela "doação", suficiente para mudarem de casa e, ainda, se não fossem gastadeiras, garantir um futuro tranquilo às três.

– E a gente precisa fazer o quê? – era a dúvida de Remédios.

Bastava abrir a porta das respectivas casas onde trabalhavam, na Quinta-feira Santa, no momento exato da procissão, e deixar que a própria Maria Auxiliadora levasse consigo as crianças, além dalgumas pecinhas de roupas. Depois, Benedita daria o aviso aos pais da menina Letícia e as três empregadas jurariam de pés juntos que a besta era a responsável pelos desaparecimentos. Simples assim. Nada além disso. Receberiam o valor integral no momento da entrega das crianças e deveriam sustentar a mesma versão até o fim dos seus dias. Os planos envolveram, ainda, um ex-funcionário da Escola do Frei, metido com agiotagem e contrabando. Jesuíno Bom de Briga recebeu dinheiro para levar até o Alto do Cruzeiro as correntes e grilhões, as roupas, o bode, além de acender a fogueira e forjar o local onde a fera teria devorado as crianças aos pés da Santa. Assim se passou. Maria Deusa, a mais frouxa das três empregadas, resistiu até o momento em que, finalmente, sentiu o peso das muitas notas sobre suas mãos. O dinheiro foi pago e as crianças levadas por Maria Auxiliadora. Com base nas confissões das empregadas, os investigadores foram até a casa de Jesuíno Bom de Briga. Vasculharam a rua e a vizinhança. Ninguém sabia dele. Certamente escafedera-se logo após a conclusão do plano.

Os três casais, agora aos prantos, eram acudidos pela multidão revoltada. Os mais incontidos avançaram na direção das empregadas. Lançaram-lhes cusparadas, pedras e palavrões.

– Rebanho de puta!
– Bando de nigrinha!

– Bora dar o que elas merecem!

A mãe de Gabrielzin agarrou o delegado pelos braços:

– Cadê nossos filhos, criatura de Deus? Fala logo! – Vânia perguntou aos soluços.

As crianças haviam sido levadas da cidade na mesma noite da Quinta-feira Santa. Partiram num carro encomendado pelos compradores da capital. Maria Auxiliadora permaneceu no Cajueiro apenas o tempo necessário para concluir os preparativos da fuga. E fugiu no Sábado de Aleluia, logo após o padre Nicanor ter ido apelar à autoridade do bispo. Dom Antonino foi junto. Quando os investigadores chegaram à Casa Paroquial, encontraram uma bíblia, as indumentárias, os paramentos todos, além de caixas de remédios vazias sobre a mesa. Embora possuísse elementos para sustentar a participação do bispo nos sequestros, Hermínio não conseguiu determinar qual teria sido o grau de envolvimento do religioso. Nem tampouco colocar as mãos sobre ele e a secretária. Avisos foram enviados à Carnaúba e à capital. Rondas e abordagens foram feitas. Surtiram nenhum resultado. Maria Auxiliadora e Dom Antonino, bem como a menina Letícia, Gabrielzin e Catiara jamais foram vistos novamente.

No dia seguinte às revelações, quando o padre Nicanor abriu as portas da Igreja Matriz para celebrar uma missa na intenção das crianças desaparecidas, um grupo de velhas devotas, entre elas Dona Regina, Dona Beré, comadre Almerinda e Dona Damiana, já aguardava do lado de fora. Tinham as expressões carregadas. O padre se aproximou. "O que mais pode ser, Senhor?" – pensou ele.

– Padre! O senhor já soube? – disse uma delas.

– Soube de quê? – perguntou assustado.

– Comadre Rufina acabou de receber carta dos parentes. – Dona Celeste falava sussurrando ao pé do ouvido.

– O que foi, criatura? Alguma novidade sobre as crianças?

– Não! Diz que ontem a besta atacou pelos lados do Baixios da Cascalheira! Sangue de Cristo tem poder, padre!

Este livro foi editado em abril de 2017
pela Solisluna Design Editora, na Bahia.
Reimpressão de 200 exemplares em fevereiro de 2021,
em papel pólen bold 90 g/m² na Gráfica psi7,
em São Paulo.